## AQUI VOCÊ ENCONTRARÁ GRANDES RIQUEZAS

O MAIOR VENDEDOR DO MUNDO, de Og Mandino, é um dos livros verdadeiramente valiosos da nossa geração.

Tem sido comparado a uma inesgotável mina de ouro da qual você não cessará de extrair preciosas pepitas de conhecimentos e sabedoria.

Que esta obra-prima do gênero inspirador, amplamente reconhecida, possa modificar sua vida como fez com tantas outras pessoas, dando-lhe maior capacidade de compreensão, proporcionando-lhe uma vida mais gratificante e maiores recompensas.

Cordialmente,

Frederick Fell

# O MAIOR VENDEDOR DO MUNDO

**Obras do autor publicadas pela Editora Record**

---

*O décimo segundo anjo*
*A escolha certa*
*O maior milagre do mundo*
*O maior milagre do mundo – 2ª parte*
*O maior mistério do mundo*
*O maior presente do mundo* (com Buddy Kaye)
*O maior segredo do mundo*
*O maior sucesso do mundo*
*O maior vendedor do mundo*
*O maior vendedor do mundo – 2ª parte*
*A ressurreição de Cristo*
*Sucesso: a maior missão*
*A universidade do sucesso*

OG MANDINO

# O MAIOR VENDEDOR DO MUNDO

Tradução de
P. V. DAMASIO

90ª EDIÇÃO

EDITORA RECORD
RIO DE JANEIRO • SÃO PAULO
2023

CIP-Brasil. Catalogação-na-fonte
Sindicato Nacional dos Editores de Livros, RJ.

Mandino, Og, 1924-1996
M239m O maior vendedor do mundo / Og Mandino;
90ª ed. tradução de P. V. Damasio. – 90ª ed. – Rio de Janeiro:
Record, 2023.

Tradução de: The greatest salesman in the world
ISBN 978-85-01-01355-2

1. Sucesso. I. Título.

92-1070 CDD – 650.12

Título original norte-americano
THE GREATEST SALESMAN IN THE WORLD



Publicado mediante acordo com Fredrick, Fell, Inc.



Impresso no Brasil

ISBN 978-85-01-01355-2

Este livro é respeitosamente dedicado
ao grande vendedor

W. CLEMENT STONE

que soube combinar amor, compaixão e inigualável sistema de vendas em uma filosofia viva para o sucesso, motivando e orientando a cada ano milhares de pessoas a descobrirem maior felicidade, obterem admirável saúde física e mental, paz de espírito, poder e riqueza.

# *Apreciações*

"Este livro apresenta as dez regras básicas para a venda efetiva e o faz notavelmente. Sendo um vendedor – e cada um de nós é um vendedor – o autor fala com experiência, e seu sábio conselho ajudará as pessoas a alcançar maior êxito. Eu o recomendo a todos."

*Rev. John A. O'Brien, Ph.D.*
*Catedrático de Pesquisa em Teologia da Universidade de Notre-Dame*

* * *

"Finalmente! Um livro sobre vendas e habilidades em venda que pode ser lido e apreciado por veteranos e principiantes igualmente! Acabo de ler *O Maior Vendedor do Mundo* pela segunda vez – era bom demais para apenas uma leitura – e, sinceramente, digo que é o mais legível, mais construtivo e mais útil instrumento para o *ensino* de vendas como profissão que jamais li."

*F. W. Errigo Gerente do Centro de Treinamento de Vendas dos EUA*
*Parke, Davis & Company*

* * *

"Tenho lido quase todos os livros já escritos sobre habilidades em venda, mas penso que Og Mandino supera a todos eles com O *Maior Vendedor do Mundo*. Aquele que seguir estes princípios jamais fracassará como vendedor, e ninguém jamais será verdadeiramente grande sem eles; mas o autor fez mais do que apresentar estes princípios — ele os teceu numa das mais fascinantes histórias que jamais li."

*Paul J. Meyer*
*Presidente do*
*Instituto de Motivação Para o Êxito*

* * *

"Todo gerente de vendas deveria ler O *Maior Vendedor do Mundo*. É um livro para ficar na cabeceira da cama ou na mesa da sala — um livro para ser folheado quando necessário, lido de vez em quando e apreciado em pequenas partes estimulantes. É um livro para a hora presente e para os anos futuros, um livro para ser consultado sempre e sempre, como a um amigo, um livro de orientação moral, espiritual e ética, uma inesgotável fonte de conforto e inspiração."

*Lester J. Bradshaw, Jr.*
*Ex-Reitor do Instituto Dale*
*Carnegie de Conversação*
*Efetiva & Relações Humanas*

* * *

"Fui dominado completamente por O *Maior Vendedor do Mundo*. É, sem dúvida, a maior e mais tocante história que jamais li. É tão bom este livro que há dois deveres que eu vincularia a ele: primeiro, não se deve deixá-lo antes de terminar; e, segundo, todas as pessoas que vendem alguma coisa – e isto inclui todos nós – devem lê-lo."

*Robert B. Hensley*
*Presidente da Companhia de Seguros de Vida de Kentucky*

* * *

"Og Mandino provoca e incita nossa atenção até a fascinação, ao relatar magistralmente sua história. O *Maior Vendedor do Mundo* é um livro de apelo emocional para milhões."

*Roy Garn*
*Diretor Executivo do Instituto de Atração Emocional*

* * *

"Muito poucos homens têm o talento para escrever com que Og Mandino foi abençoado. Os pensamentos contidos neste livro simbolizam a importância da venda na existência de todo o mundo."

*Sol Polk*
*Presidente da Polk Bros., Inc.*

* * *

"Acabei de ler ininterruptamente O *Maior Vendedor do Mundo*. A trama é original e genial. O estilo é interessante e fascinante. A mensagem é comovente e inspiradora.

Cada um de nós é um vendedor, não importa qual sua ocupação ou profissão. Principalmente cada qual deve vender-se a si próprio a fim de encontrar felicidade pessoal e paz de espírito. Este livro, se cuidadosamente lido, absorvido e meditado, pode ajudar cada um de nós a ser seu melhor vendedor."

*Dr. Louis Binstock*
*Rabino do Templo Sholom, Chicago*

* * *

"Gosto da história... gosto do estilo... gosto do livro. Todo vendedor e os membros de sua família deveriam lê-lo."

*W. Clement Stone*
*Presidente da Companhia de Seguros Associada da América*

* * *

"Em minha opinião, O *Maior Vendedor do Mundo*, de Og Mandino, tornar-se-á um clássico. Já editei centenas de livros em todos estes anos, mas a poderosa mensagem de Og Mandino descobriu um lugar no mais íntimo do meu ser."

*Frederick V. Fell*

# O MAIOR VENDEDOR DO MUNDO

# *Capítulo*

# *Um*

Hafid demorou-se ante o espelho de bronze e estudou sua imagem refletida no metal polido.

— Apenas os olhos continuaram jovens — murmurou ao virar-se e atravessar devagar o espaçoso piso de mármore. Passou por entre as negras colunas de ônix que se erguiam para sustentar o teto brunido de prata e ouro e suas pernas envelhecidas transportaram-no pelas mesas esculpidas do cipreste e do marfim.

Carapaças de tartarugas reluziam dos canapés e divãs e as paredes, marchetadas de gemas, cintilavam com brocados do mais esmerado desenho. Enormes palmeiras cresciam placidamente em vasos de bronze formando uma fonte de ninfas de alabastro, enquanto caixas de flores, com gemas incrustadas, competiam, em atenção, com o seu conteúdo. Nenhum visitante do palácio podia duvidar de que Hafid fosse realmente senhor de grande riqueza.

O ancião passou por um jardim murado e entrou no depósito que se estendia além da mansão por quinhentos passos de distância. Erasmo, seu guarda-livros chefe, esperava, incerto, logo depois da entrada.

— Saudações, senhor.

Hafid assentiu com a cabeça e prosseguiu em silêncio. Erasmo o seguiu, o semblante incapaz de esconder a preocupação com o pedido incomum do amo, de uma reunião naquele local. Próximo à plataforma de carga, Hafid parou para observar as mercadorias sendo removidas dos carros de bagagem e contadas ao entrar em barracas separadas.

Havia lãs, bons linhos, pergaminhos, mel, tapetes e óleo da Ásia Menor; vidros, figos, nozes e bálsamo de seu próprio país; tecidos e drogas de Palmira; gengibre, canela e pedras preciosas da Arábia; milho, papel, granito, alabastro e basalto do Egito; tapeçarias da Babilônia; pinturas de Roma; e estátuas da Grécia. O cheiro de bálsamo pesava no ar e o sensível e velho nariz de Hafid percebia a presença de doces, ameixas, maçãs, queijos e gengibre.

Finalmente ele se voltou para Erasmo.

— Velho amigo, quanta riqueza há agora acumulada em nosso tesouro?

Erasmo empalideceu:

— Tudo, meu amo?

— Tudo.

— Não estudei os números recentemente, mas calcularia que há um saldo de sete milhões de talentos de ouro.

— E se todas as mercadorias dos meus depósitos e empórios fossem convertidas em ouro, qual seria o resultado?

— Nosso inventário ainda não está completo para esta temporada, meu senhor, mas calcularia um mínimo de outros três milhões de talentos.

Hafid assentiu com a cabeça.

— Basta de compras de mercadorias. Trace imediatamente planos, seja lá quais forem, para vender tudo que é meu, e converta o total em ouro.

O guarda-livros abriu a boca, mas nenhum som saiu. Recuou como que assustado e, quando finalmente pôde falar, as palavras vieram com esforço.

— Eu não entendo, senhor. Este tem sido nosso ano mais lucrativo. Todos os empórios acusam aumentos nas vendas sobre as do ano anterior. Até as legiões romanas são agora nossos fregueses, pois não vendeu o senhor ao Procurador de Jerusalém duzentos garanhões árabes nesta quinzena? Perdoe-me a ousadia, pois raramente discuto suas determinações, meu senhor, mas esta ordem eu não posso compreender...

Hafid sorriu gentilmente e apertou a mão de Erasmo.

— Meu companheiro de confiança, tem sua memória suficiente força para recordar a primeira ordem recebida de mim, quando entrou neste emprego, muitos anos atrás?

Erasmo franziu a testa momentaneamente e então sua face iluminou-se.

— Fui encarregado pelo senhor de retirar, todo ano, a metade do lucro de nosso tesouro e distribuí-la aos pobres.

— Não me considerou você, naquela época, um insensato homem de negócios?

— Eu tinha grandes pressentimentos, senhor.

Hafid assentiu e estendeu os braços para as plataformas de carga.

— Admite, agora, que sua preocupação era sem fundamento?

— Sim, senhor.

— Então deixe-me encorajá-lo a ter fé nesta decisão, até que explique os meus planos. Eu sou agora um velho e minhas necessidades são simples. Desde que minha adorada Lisha foi há muito retirada de mim após tantos anos de felicidade, é meu desejo distribuir toda a minha riqueza com os pobres desta cidade. Guardarei comigo apenas o suficiente para completar minha vida sem desconforto. Além de fazer nosso inventário, desejo que você providencie os documentos necessários que transferirão a propriedade de todo o empório àquele que o dirige para mim. Desejo também que você distribua cinco mil talentos de ouro entre esses administradores, como recompensa por seus anos de lealdade e para que eles possam reabastecer suas prateleiras da maneira que lhes agradar.

Erasmo começou a falar, mas a mão erguida de Hafid o silenciou.

— A tarefa parece-lhe desagradável?

O guarda-livros balançou a cabeça e tentou sorrir.

— Não, meu senhor, apenas não posso entender seu raciocínio. Suas palavras são as de um homem cujos dias estão contados.

— É do seu caráter, Erasmo, que sua preocupação deva ser por mim, em vez de por você próprio. Não cogita você de algo para seu futuro, quando nosso império comercial for dispersado?

— Temos sido companheiros por muitos anos. Como posso, agora, pensar somente em mim?

Hafid abraçou seu velho amigo e replicou:

— Não é necessário. Peço-lhe que transfira imediatamente cinqüenta mil talentos de ouro para seu nome, e suplico-lhe que permaneça comigo até que uma promessa que fiz, há muito tempo, seja cumprida. Observada a promessa, legarei este palácio e depósito a você, pois então estarei pronto para reunir-me a Lisha.

O velho guarda-livros fitou o amo, incapaz de compreender as palavras que ouvira.

— Cinqüenta mil talentos de ouro, o palácio, o depósito... não faço por merecer...

Hafid assentiu com a cabeça.

— Sempre contei sua amizade como meu maior bem. O que agora entrego a você é de pouca importância, comparado à sua infindável lealdade. Você dominou a arte de viver não para si exclusivamente, mas para os outros, e essa preocupação timbrou-o acima de tudo como um homem entre os homens. Agora eu o incito a apressar a consumação dos meus planos. O tempo é o que de mais precioso eu possuo e a taça do tempo de minha vida está quase cheia.

Erasmo voltou o rosto para ocultar as lágrimas.

Sua voz embargou, ao perguntar:

— E o que é a promessa ainda por cumprir? Conquanto tenhamos sido como irmãos, nunca ouvi o senhor falar de tal coisa.

Hafid cruzou os braços e sorriu.

— Encontrá-lo-ei de novo ao desincumbir-se de minhas ordens desta manhã. Revelar-lhe-ei, então, um segredo que não partilhei com ninguém, exceto minha adorada esposa, por cerca de trinta anos.

# Capítulo

# Dois

E então sucedeu que uma caravana fortemente escoltada logo partiu de Damasco transportando certificados de propriedade e ouro para aqueles que dirigiam cada um dos empórios de Hafid. De Obed, em Joppa, a Reuel, em Petra, cada um dos dez administradores recebeu a notícia da retirada e do presente de Hafid em pasmado silêncio. Finalmente, após fazer sua última parada no empório em Antipatris, estava finda a missão da caravana.

O mais poderoso império comercial de seu tempo não mais existia.

Com o coração pesado de tristeza, Erasmo mandou avisar ao amo que o depósito estava vazio e que os empórios não mais ostentavam a orgulhosa bandeira de Hafid. O mensageiro regressou com um pedido de que Erasmo se encontrasse imediatamente com o amo, próximo à fonte, no peristilo.

Hafid estudou o rosto de seu amigo e perguntou:

— Fez tudo?

— Tudo, meu senhor.

— Não se aflija, meu bom amigo, e siga-me.

Apenas o som de suas sandálias ecoava no gigantesco aposento quando Hafid levou Erasmo para a escadaria de mármore que ficava ao fundo. Seus passos diminuíram momentaneamente ao se aproximarem de um solitário vaso de fluorita numa prateleira de madeira de árvore cítrica e ele observou que a luz do sol tinha mudado a cor do vidro, de branco para púrpura. Sua face, envelhecida pelos anos, estampou um sorriso.

Então os dois velhos amigos começaram a subir os degraus que levavam ao quarto sob a cúpula do palácio. Erasmo notou que a guarda armada não mais existia. Finalmente ganharam o patamar e pararam visto que ambos estavam quase sem fôlego pelo esforço da subida. Depois seguiram para o segundo patamar e Hafid retirou a pequena chave do cinto, destrancou a pesada porta de carvalho e forçou-a com o corpo, com o que ela se abriu, rangendo. Erasmo hesitou até que seu amo acenasse para entrar e, então, avançou timidamente para o quarto onde ninguém tivera permissão para entrar, por cerca de trinta anos.

Cinzenta e empoeirada luz irradiava de pequenas torres acima de Erasmo, que se agarrou ao braço de Hafid até que seus olhos se acostumaram à semi-escuridão. Com um leve sorriso, Hafid observou Erasmo, que, locomovendo-se lentamente, saiu num quarto vazio, exceto por um pequeno baú de cedro iluminado por um feixe de luz solar num canto.

— Não está desapontado, Erasmo?

— Não sei o que dizer, senhor.

— Não está desapontado com os móveis? Certamente o conteúdo deste quarto tem sido assunto de conversa de muitos. Você nunca especulou sobre o mistério que envolve tudo que aqui se encontra e que eu guardo tão zelosamente por tanto tempo?

Erasmo assentiu com a cabeça.

— É verdade. Tem havido muita conversa e muitos rumores, pelos anos, quanto ao que nosso amo guarda escondido aqui na torre.

— Sim, meu amigo, e muitos deles eu ouvi. Tem-se dito que aqui se guardam barris de diamantes, lingotes de ouro, ou animais selvagens, ou pássaros raros. Certa vez um persa, mercador de tapetes, deu a entender que talvez eu mantivesse aqui um pequeno harém. Lisha riu, ao imaginar-me com uma coleção de concubinas. Mas, como você pode ver, nada há aqui, exceto um pequeno baú. Agora, venha para cá.

Os dois agacharam-se ao lado do baú e Hafid cuidadosamente começou a soltar as correias de couro que o envolviam. Ele inalou a fragrância do cedro e, finalmente, empurrou a tampa, que se abriu sem dificuldade. Erasmo curvou-se à frente e espiou sobre o ombro de Hafid o conteúdo da arca. Olhou para Hafid e balançou a cabeça espantado. Nada havia na arca senão pergaminhos... pergaminhos de couro.

Hafid estendeu a mão e gentilmente retirou um dos rolos. Por momentos, apertou-o ao peito e cerrou os olhos.

Uma calma tranqüila pairou-lhe sobre o rosto, apagando as marcas da idade. Então, pôs-se de pé e apontou para o baú.

— Fosse este quarto enchido até as vigas de diamantes, seu valor não superaria o que seus olhos vêem nesta simples caixa de madeira. Todo o êxito, felicidade, amor, paz de espírito e riqueza de que desfruto provêm diretamente do que está contido nestes poucos pergaminhos. Meu débito para com eles e para com o sábio que os confiou ao meu cuidado não pode jamais ser retribuído.

Assustado pelo tom de voz de Hafid, Erasmo recuou e perguntou:

— É este o segredo a que o senhor se referiu? Este baú se acha de alguma maneira ligado à promessa que o senhor tem de cumprir ainda?

— A resposta é "sim" a ambas as suas perguntas.

Erasmo passou a mão pela testa molhada de suor e fitou Hafid com descrença.

— O que está escrito nestes pergaminhos, que lhes confere valor maior que o de diamantes?

— À exceção de um, todos estes pergaminhos contêm um princípio, uma lei, ou uma verdade fundamental, escritos num único estilo, para ajudar o leitor a entender seu significado. Para se tornar um mestre na arte de vender, deve-se aprender e praticar o segredo de cada um destes pergaminhos. Quando se dominam estes princípios, tem-se o poder de acumular toda a riqueza que se deseja.

Erasmo fitou o pergaminho com assombro.

— Rico até mesmo como o senhor?

— Até mais rico, se quiser.

— O senhor afirmou que, à exceção de um, todos estes pergaminhos contêm princípios de venda. O que contém o último pergaminho?

— O último pergaminho, como você o chama, é o primeiro que deve ser lido, já que cada um é numerado para ser lido em seqüência especial. E o primeiro contém um segredo que tem sido dado a poucos sábios através da história. Em verdade, ele ensina a maneira mais efetiva de aprender o que está escrito nos demais.

— Parece ser uma tarefa difícil de realizar.

— É, na verdade, uma tarefa simples, desde que se queira pagar o preço, em tempo e concentração, até que cada princípio se torne uma parte da personalidade de cada um; torne-se como um hábito.

Erasmo meteu a mão no baú e retirou um pergaminho. Segurando-o gentilmente entre os dedos, passou-o afoito para Hafid.

— Perdoe-me, meu amo, mas por que razão não partilhou estes princípios com outros, especialmente aqueles que labutam há muito tempo com o senhor? Se o senhor sempre mostrou tanta generosidade em todas as outras questões, como é que todos que venderam pelo senhor não ganharam a oportunidade de ler estas palavras de sabedoria e, dessa maneira, enriquecer também? Afinal de contas, todos seriam melhores vendedores com tão valiosa sabedoria. Por que o senhor manteve para si estes princípios por todos estes anos?

— Eu não tinha escolha. Muitos anos atrás, quando estes pergaminhos foram a mim confiados, prometi sob juramento que partilharia seu conteúdo com apenas uma pessoa. Até hoje não entendo o raciocínio desse estranho pedido, mas ordenaram-me aplicar os princípios dos pergaminhos à minha própria vida, até que um dia alguém aparecesse e necessitasse, mais do que eu quando jovem, da ajuda e orientação neles contidas. Disseram-me que mediante algum sinal eu reconheceria a pessoa a quem deveria passar os pergaminhos, mesmo que tal pessoa não soubesse estar a procurá-los.

"Esperei com paciência e enquanto esperava apliquei estes princípios como me foi permitido fazer. Com sua sabedoria tornei-me o que muitos chamam 'o maior vendedor do mundo', assim como aquele que me legou esses pergaminhos foi proclamado 'o maior vendedor de seu tempo'. Agora, Erasmo, talvez você entenda, afinal, por que algumas de minhas ações através dos anos lhe pareceram estranhas e impraticáveis e, contudo, resultaram em êxito. Sempre foram meus feitos e decisões guiados por estes pergaminhos; portanto, não foi através de minha sabedoria que adquirimos tantos talentos de ouro. Fui apenas o instrumento de realização.

— O senhor ainda crê que aquele que deve receber tais pergaminhos do senhor, meu amo, aparecerá após tanto tempo?

— Sim.

Hafid recolocou gentilmente os pergaminhos e fechou o baú. De joelhos, falou, brandamente:

— Você ficará comigo até esse dia, Erasmo?

O guarda-livros adiantou-se, banhado por uma luz branda, e eles se apertaram as mãos. Ele assentiu com a cabeça e depois se retirou do quarto, como se sob uma ordem inefável de seu amo. Hafid repôs as correias de couro no baú, ergueu-se e dirigiu-se para uma pequena torre. Passando por ela, seguiu para um palanque que cercava a grande cúpula.

Um vento do Levante soprava-lhe a face, trazendo consigo o aroma de lagos e do deserto na distância. Ele sorriu como se estivesse postado sobre os telhados de Damasco e seus pensamentos retrocederam tempo adentro...

## *Capítulo*

# *Três*

No inverno, o frio era cruel no Monte das Oliveiras. De Jerusalém, pela estreita abertura do Vale Kidrom, vinha o cheiro de fumaça, incenso e carne queimada do Templo, e esse ar impuro misturava-se com o odor resinoso dos terebintos da montanha.

Num declive descampado, a curta distância da aldeia de Bethpage, dormitava a imensa caravana de mercadorias de Pathros de Palmira. Já era bem tarde e até os garanhões favoritos dos grandes mercadores tinham parado de pastar nos ralos arbustos de pistáceas e deitavam junto a uma macia cerca de louros.

Para além das longas filas de tendas em silêncio, grossos cipós de cânhamo se enrolavam em quatro oliveiras antigas. Elas formavam um curral esquadrejado, cercando confusas formas de camelos e burros amontoados para se aquecerem uns nos outros. Exceto por dois vigias, que rondavam próximos aos carros de bagagens, o único movimento no campo era o da alta e móvel sombra delineada na grande tenda de pele de cabra de Pathros.

No seu interior, Pathros passeava de um lado para outro, parando ocasionalmente, quando então franzia a testa e balançava a cabeça para o jovem ajoelhado timidamente próximo à entrada da tenda. Finalmente assentou o corpo aflito no tapete bordado a ouro e acenou para o rapaz se aproximar.

— Hafid, você sempre foi como de minha família. Estou perplexo e embaraçado com o seu estranho pedido. Você não está contente com o seu serviço?

Os olhos do rapaz estavam fixos no tapete.

— Não, senhor.

— Talvez o tamanho sempre crescente da nossa caravana tenha feito a sua tarefa de tratar dos camelos e dos burros grande demais. É isso?

— Não, senhor.

— Então, por favor, repita o seu pedido. Inclua também, em suas palavras, a razão de tão incomum pedido.

— É meu desejo tornar-me um vendedor de suas mercadorias, meu senhor, em vez de guardador de camelos. Desejo ser como Hadad, Simon, Caleb e outros, que partem de nosso carro de bagagem com animais quase a rastejar com o peso de suas mercadorias e regressam com ouro para o senhor, meu amo, e para eles também. Desejo melhorar minha baixa posição na vida. Como guardador de camelos não sou nada, enquanto como um vendedor para o senhor posso adquirir riqueza e êxito.

— O que lhe dá essa certeza?

— Tenho ouvido freqüentemente o senhor dizer que nenhum outro negócio ou ofício oferece mais oportunidades para uma pessoa se erguer da pobreza para a grande riqueza do que o de vendedor.

Pathros pôs-se a assentir com a cabeça mas pensou um pouco e continuou a perguntar ao jovem:

— Crê você que é capaz de desempenhar suas funções como Hadad e outros vendedores?

Hafid mirou atentamente o ancião e replicou:

— Muitas vezes ouvi, por acaso, Caleb queixar-se com o senhor dos azares que explicam sua falta de vendas e muitas vezes ouvi o senhor lembrar-lhe que qualquer um seria capaz de vender todas as mercadorias de seu depósito, meu senhor, em pouco tempo, se se dedicasse a aprender os princípios e leis de venda. Se o senhor crê que Caleb, a quem todos chamam tolo, pode aprender esses princípios, não posso eu também adquirir essa sabedoria especial?

— Se você dominasse estes princípios, qual seria o grande sonho de sua vida?

Hafid hesitou e depois respondeu:

— Tem-se repetido pela terra que o senhor é um grande vendedor. O mundo jamais viu um império comercial tão grande como o que o senhor construiu com o domínio da arte de vender. Minha ambição é tornar-me maior que o senhor, o maior mercador, o homem mais rico, o maior vendedor de todo o mundo!

Pathros recuou e estudou aquele rosto jovem e escuro. O cheiro dos animais estava em suas roupas, mas o jovem demonstrava pouca humildade nas maneiras.

— E o que fará com essa grande riqueza e espantoso poder que certamente o acompanharão?

— Farei como o senhor. Minha família será provida com os melhores bens mundanos e o resto dividirei com aqueles em privação.

Pathros balançou a cabeça.

— Riqueza, meu filho, não devia nunca ser seu grande sonho. Suas palavras são eloqüentes, mas são meras palavras. A verdadeira riqueza é a do coração, não a da bolsa.

Hafid hesitou.

— Não é o senhor rico, meu amo?

O ancião sorriu da ousadia de Hafid.

— Hafid, no que toca à riqueza material, há apenas uma diferença entre mim e o mais baixo mendigo que ronda o palácio de Herodes. O mendigo pensa apenas em seu próximo prato de comida e eu penso apenas naquele que será o meu último prato de comida. Não, meu filho, não aspire à riqueza e ao trabalho apenas para ser rico. Esforce-se, em vez disso, pela felicidade, para ser amado e amar, e, mais importante, para adquirir paz de espírito e serenidade.

Hafid persistia:

— Mas essas coisas são impossíveis sem ouro. Quem pode viver, na pobreza, com paz de espírito? Como se pode demonstrar amor por uma família se se é incapaz de alimentá-la, vesti-la e dar-lhe casa para morar? O senhor mesmo diz que a riqueza é boa quando traz alegria aos outros. Por que então não é boa para a minha ambição de ser rico? A pobreza pode ser um privilégio e até uma maneira de vida para o monge no deserto, pois ele tem apenas a si mesmo para sustentar e ninguém, senão a seu Deus, para agradar, mas eu a considero como a marca de uma falta de capacidade ou de ambição. Eu não sou deficiente em nenhuma dessas qualidades.

Pathros franziu a testa:

— O que lhe causou este súbito acesso de ambição? Você fala em prover uma família, mas não tem família alguma, pois fui eu que o adotei, desde a peste que levou seus pais.

A pele bronzeada de Hafid não pôde esconder-lhe o súbito rubor das faces.

— Enquanto acampamos em Hebrom, antes de viajarmos para cá, eu conheci a filha de Calneh. Ela... ela...

— Oh, oh, agora a verdade aparece. O amor, não nobres ideais, fez de meu guardador de camelos um poderoso soldado pronto a enfrentar o mundo. Calneh é homem muito rico. Sua filha e um guardador de camelos? Nunca! Mas sua filha e um rico jovem e simpático mercador... ah, essa é outra história. Muito bem, meu jovem soldado, eu o ajudarei a iniciar a sua carreira de vendedor.

O rapaz caiu de joelhos e agarrou-se às vestes de Pathros.

— Senhor, senhor! Como posso mostrar-lhe minha gratidão?

Pathros esquivou-se do aperto de Hafid e recuou.

— Eu sugeriria que suspendesse sua gratidão por enquanto. Qualquer ajuda que lhe dê será como um grão de areia comparada às montanhas que você deve mover em seu próprio benefício.

A alegria de Hafid imediatamente se amainou ao perguntar:

— O senhor vai ensinar-me os princípios e leis que me transformarão em um grande vendedor?

— Não ensinarei, como não tornei sua infância branda e fácil pelo mimo. Tenho sido criticado freqüentemente por condenar meu filho adotivo à vida de guardador de camelos, mas confiei que, se o fogo bom queimasse por dentro, ele finalmente emergiria... e quando tal ocorresse você seria mais homem para seus anos de árdua labuta. Esta noite, seu pedido deixou-me feliz, pois o fogo da ambição reluz em seus olhos e sua face brilha com ardente desejo. Isto é bom e minha suposição sustentou-se, mas você deve ainda provar que há mais em suas palavras do que simplesmente ar.

Hafid permaneceu silencioso e o ancião prosseguiu:

— Primeiro, você deve provar-me e, mais importante, a si mesmo, que pode suportar a vida de vendedor, pois não é destino fácil o que escolheu. Verdadeiramente, muitas vezes você me ouviu dizer que as recompensas são grandes se se têm êxito, mas apenas porque pouquíssimos têm êxito. Muitos sucumbem ao desespero e falham sem perceber que já possuem todos os instrumentos necessários para adquirir grande riqueza. Muitos outros enfrentam os obstáculos do caminho com medo e dúvida e os consideram inimigos, quando, em verdade, esses empecilhos são amigos e colaboradores. Os obstáculos são necessários para o êxito, pois em venda, como em todas as carreiras de importância, a vitória só vem apenas após muitas lutas e inúmeras derrotas. Contudo, cada luta, cada derrota, aguça suas técnicas e forças, sua coragem e persistência, sua capacidade e confiança e, assim, cada obstáculo é um companheiro de armas forçando-o a melhorar... ou desistir.

Cada malogro é uma oportunidade para seguir avante. Desvie-se deles, evite-os, e você desperdiça seu futuro.

O jovem assentiu com a cabeça e ameaçou falar, mas o ancião ergueu a mão e prosseguiu:

— Ademais, você está se aventurando na mais solitária profissão do mundo. Até os desprezados coletores de impostos regressam aos lares ao pôr-do-sol e as legiões de Roma têm um quartel a que denominam lar. Mas você testemunhará muitos pores-do-sol distante dos amigos e dos entes queridos. Nada traz a dor da solidão a um homem tão rapidamente quanto passar por uma casa estranha e testemunhar, à luz do lampião, uma família partindo o pão ao anoitecer no aconchego do lar.

"Será nesses períodos de solidão que as tentações o afrontarão. A maneira como você enfrentará essas tentações afetará grandemente sua carreira. Estar-se na estrada apenas com o animal é uma sensação estranha e freqüentemente assustadora. Muitas vezes esquecemos nossas perspectivas e nossos valores e nos sentimos como crianças, ansiando por nossa própria segurança e amor. O que achamos como substituto já encerrou a carreira de muitos, inclusive milhares que eram considerados de grande potencial na arte de vender. Ademais, não haverá ninguém para distraí-lo ou consolá-lo quando não vender nenhuma mercadoria; ninguém, exceto aqueles que procuram separá-lo de sua algibeira.

— Eu serei cuidadoso e seguirei à risca o seu conselho, meu senhor.

— Então, vamos começar. Por enquanto você não receberá mais nenhum conselho. Coloque-se diante de mim como um figo verde. Até que o figo amadureça não pode ser chamado de figo e até que você não se tenha exposto ao conhecimento e à experiência não pode ser chamado de vendedor.

— Como começarei?

— Pela manhã, você irá falar com Sílvio, no carro de bagagem. Ele deixará aos seus cuidados uma das nossas melhores e mais novas túnicas. É tecida com pêlo de cabra e resistirá até à chuva mais pesada. É tingida com o vermelho das raízes da garança, para que a cor não se solte. Próximo à bainha você encontrará bordada, pelo lado de dentro, uma pequena estrela. É o símbolo de Tola, cuja fábrica faz as melhores túnicas do mundo. Já próximo à estrela está o meu símbolo, um círculo dentro de um quadrado. Ambos os símbolos são conhecidos e respeitados por todo o país e vendemos inúmeros milhares de túnicas. Tenho negociado com os judeus por tanto tempo que apenas sei seus nomes por um vestuário como esse. É chamado de *abeyah.*

"Pegue a túnica e uma mula e parta ao amanhecer para Belém, a aldeia pela qual nossa caravana passou antes de chegar aqui. Nenhum de nossos vendedores jamais a visitou. Dizem que é uma perda de tempo, porque o povo é muito pobre, mas muitos anos atrás vendi cem túnicas entre os pastores de lá. Permaneça em Belém até vender uma túnica.

Hafid assentiu com a cabeça, tentando em vão ocultar a emoção.

— A que preço devo vender a túnica, meu amo?

— Debitarei um denário de prata em seu nome no meu livro. Ao voltar, você me devolverá um denário de prata. Guarde o que receber a mais como comissão e assim, realmente, você próprio vai determinar o preço da túnica.

Pode visitar a feira que fica no portão Leste ou oferecer em cada porta da cidade, a qual, estou certo, tem cerca de mil. Certamente, é concebível que uma túnica seja vendida lá, não acha?

Hafid assentiu de novo, já pensando no dia seguinte.

Pathros colocou a mão gentilmente no ombro do rapaz.

— Não colocarei ninguém em seu serviço até que volte. Se descobrir que seu estômago não é para esta profissão, eu entenderei, e você não precisará se considerar em desfavor. Nunca se envergonhe de tentar e fracassar, pois se alguém nunca fracassou é porque nunca tentou. Quando voltar, perguntarei detidamente a respeito de suas experiências. Só então decidirei como proceder para ajudá-lo a fazer com que seus vagos sonhos se concretizem.

Hafid curvou-se e virou para sair, mas o ancião ainda prosseguiu:

— Filho, há um preceito que você deve guardar ao começar essa nova vida. Tenha-o sempre presente e vencerá obstáculos aparentemente impossíveis, que com certeza encontrará, como todos aqueles que têm ambição.

Hafid esperou.

— Sim, senhor?

— *O fracasso jamais o surpreenderá se sua decisão de vencer for suficientemente forte.*

Pathros adiantou-se para o jovem.

— Você compreende todo o significado de minhas palavras?

— Sim, senhor.

— Repita-as então para mim.

— *O fracasso jamais me surpreenderá se minha decisão de vencer for suficientemente forte.*

# Capítulo

# Quatro

Hafid pôs de lado o pedaço de pão mordiscado e pensou em seu infeliz destino. Amanhã seria seu quarto dia em Belém e a única túnica vermelha que ele retirara tão confiante da caravana estava ainda no embrulho no lombo do animal, agora amarrado numa estaca na gruta atrás da hospedaria.

Ele não ouvia o barulho que o cercava no superlotado refeitório, ao fazer careta, a refeição ainda por terminar. Dúvidas que assaltavam todo vendedor, desde o começo dos tempos, passavam-lhe pela mente.

"Por que as pessoas não me dão ouvidos? Como atrair sua atenção? Por que fecham suas portas antes mesmo que eu tenha dito cinco palavras? Por que perdem o interesse pela minha conversa e se afastam? Será todo mundo pobre nesta cidade? O que posso dizer quando eles declaram que gostam da túnica mas não podem pagá-la? Por que tantos me dizem para passar depois? Como os outros conseguem vender, quando eu não consigo? Que medo é este que me domina quando me aproximo de uma porta fechada e como posso vencê-lo? Será que o meu preço não faz par com o dos outros vendedores?"

Balançou a cabeça, em desgosto pelo fracasso. Talvez não fosse aquela a vida para ele. Talvez devesse continuar como guardador de camelos e ganhar apenas moedas de cobre por dia de trabalho. Como vendedor de mercadorias, ficaria verdadeiramente feliz se voltasse para a caravana sem lucro absolutamente nenhum? De que o chamara Pathros? Um jovem soldado? Ele quis momentaneamente que estivesse de volta aos animais.

Seus pensamentos voltaram-se, então, para Lisha e seu severo pai, Calneh, e as dúvidas imediatamente o abandonaram. Aquela noite ele dormiria de novo nas colinas para conservar suas economias e na manhã seguinte venderia a túnica. Ademais, falaria com tal eloqüência que conseguiria um bom preço por ela. Começaria cedo, logo após o alvorecer, e se instalaria próximo à fonte da cidade. Dirigir-se-ia a todos que se aproximassem e dentro de pouco tempo estaria retornando ao Monte das Oliveiras com prata na bolsa.

Estendeu a mão para pegar o resto de pão e se pôs a comer enquanto pensava no amo. Pathros iria orgulhar-se dele, pois não desesperara ou regressara como fracassado. Em verdade, quatro dias era muito tempo para consumar a venda de apenas uma túnica, mas ele sabia que se realizasse o feito em quatro dias poderia aprender com

Pathros a realizá-lo em três e, depois, em dois dias. Com o tempo, tornar-se-ia tão eficiente que venderia muitas túnicas numa só hora! Seria, então, verdadeiramente, um vendedor de reputação.

Deixou a barulhenta hospedaria e rumou para a gruta e seu animal. O ar frio endurecera a grama com uma fina camada de geada e cada folhinha queixava-se, estalando com a pressão de suas sandálias. Hafid decidiu não sair para as colinas essa noite. Em vez disso, descansaria na gruta com seu animal.

Amanhã, sabia, seria um dia melhor, visto entender agora por que outros sempre se desviavam da aldeia empobrecida. Tinham dito que nada se vendia ali e ele recordava essas palavras toda vez que alguém recusava comprar sua túnica. Pathros, contudo, vendera centenas de túnicas ali, muito tempo antes. Talvez os tempos tivessem sido diferentes e, afinal de contas, Pathros era um grande vendedor.

Uma cintilante luz vinda da gruta fê-lo apertar os passos, temendo algum ladrão. Ele correu para a entrada pronto a derrubar o bandido e reaver seus bens. No entanto, a tensão imediatamente o abandonou à vista do que confrontava.

Uma pequena vela, forçada numa fenda na parede da gruta, brilhava fracamente sobre um homem barbado e uma jovem, achegados intimamente. A seus pés, numa pedra esburacada, onde usualmente ficava a forragem do gado, dormia um menino. Hafid conhecia pouco de tais coisas, mas sentiu, pela pele enrugada e sangüínea, que o menino era recém-nascido. Para proteger do frio o menino que dormia, ambos os mantos, o do homem e o da mulher, cobriam-no todo, menos a cabecinha.

O homem assentiu com a cabeça na direção de Hafid enquanto a mulher aconchegava-se à criança. Ninguém falou. Então, a mulher tremeu de frio e Hafid viu que o fino vestuário dela oferecia pouca proteção contra a umidade da gruta. Hafid fitou novamente o menino. Observou fascinado como sua boca pequena abria e fechava quase num sorriso, e uma estranha sensação o assaltou. Por alguma razão desconhecida, pensou em Lisha. A mulher tiritou novamente e seu movimento súbito despertou Hafid do devaneio.

Após dolorosos momentos de indecisão, o suposto vendedor encaminhou-se para seu animal. Cuidadosamente, desatou os nós, abriu o embrulho e retirou a túnica. Desdobrou-a e correu a mão sobre o tecido. A tintura vermelha reluziu com a luz da vela e ele pôde ver o símbolo de Pathros e o de Tola, na parte de baixo. O círculo no quadrado e a estrela. Quantas vezes erguera essa túnica nos braços cansados, nos últimos três dias? Parecia-lhe que conhecia toda a configuração e cada uma de suas fibras. Era, realmente, uma túnica de qualidade. Com cuidado, duraria uma existência.

Hafid fechou os olhos e suspirou. Depois, dirigiu-se com rapidez à pequena família, ajoelhou na palha ao lado do menino e, gentilmente, retirou o manto do pai e, depois, o da mãe. Devolveu cada um ao seu dono. Ambos estavam chocados demais com a ousadia de Hafid para reagirem. Então, Hafid abriu a preciosa túnica vermelha e, gentilmente, agasalhou com ela a criança que dormia.

A umidade do beijo da jovem mãe ainda estava na face de Hafid ao conduzir ele seu animal para fora da gruta. Diretamente acima dele encontrava-se a mais brilhante estrela que Hafid jamais vira. Fitou-a, até que seus olhos se encheram de lágrimas, e então puxou seu animal pelo caminho que levava à estrada principal de volta a Jerusalém e à caravana na montanha.

# Capítulo

# Cinco

Hafid seguiu devagar, a cabeça caída para não mais notar a estrela espalhando seu caminho de luz diante dele. Por que cometera um ato tão tolo? Não conhecia aquelas pessoas na gruta. Por que não tentara vender-lhes a túnica? O que diria Pathros? E os outros? Eles rolariam no chão, quando soubessem que dera de graça a túnica que se incumbira de vender. E para um menino desconhecido, numa gruta. Rebuscou na cabeça uma história que pudesse contar a Pathros. Talvez pudesse dizer que a túnica fora roubada de seu animal, enquanto estava no refeitório. Creria Pathros em tal história? Afinal de contas, havia muitos bandidos na terra. E se Pathros acreditasse, não seria, então, culpado de desleixo?

Logo alcançou o caminho que levava ao Jardim de

Getsêmane. Desmontou e encaminhou-se cansadamente à frente da mula, até chegar à caravana. A luz do céu parecia a luz do dia, e o momento que temia rapidamente se avizinhou, assim que viu seu amo Pathros, do lado de fora da tenda, fitando os céus. Hafid permaneceu inerte, mas o ancião notou-o quase imediatamente.

Havia pavor na voz de Pathros, quando se aproximou do jovem e perguntou:

— Você veio diretamente de Belém?

— Sim, meu amo.

— Não está alarmado por essa estrela o acompanhar?

— Não notei, senhor.

— Não notou? Senti-me incapaz de sair deste lugar, logo que a vi erguer-se sobre Belém, há quase duas horas. Nunca vi estrela com mais cor e brilho. Logo que a vi, ela começou a mover-se e aproximar-se de nossa caravana. Agora que está bem em cima, você aparece, e, pelos deuses, ela não se move mais.

Pathros acercou-se de Hafid e examinou a face do jovem, enquanto perguntava:

— Você participou de algum fato extraordinário lá em Belém?

— Não, senhor.

O ancião franziu a testa, como a pensar profundamente:

— Nunca conheci uma noite ou experiência tão grandiosa como esta.

Hafid hesitou:

— Eu também jamais esquecerei esta noite, meu senhor.

— Oh, oh, então alguma coisa realmente aconteceu. Como é que você voltou em hora tão tardia?

Hafid ficou em silêncio enquanto o anciao soltava, apalpando-o, o embrulho do lombo da mula.

— Está vazio! Êxito, finalmente! Venha à minha tenda e conte-me o que se passou. Já que os deuses transformaram a noite em dia, eu não posso dormir, e talvez suas palavras forneçam alguma pista quanto à razão de uma estrela seguir um guardador de camelos.

Pathros reclinou-se na cama e ouviu de olhos fechados a longa história de Hafid em Belém, de infindáveis recusas, malogros e insultos. Vez por outra, assentia com a cabeça, como quando Hafid descreveu o mercador de cerâmica que o expulsara corporalmente de sua loja, e sorriu ao ouvir que um soldado romano lhe atirara a túnica ao rosto quando o jovem vendedor se recusara a baixar o preço.

Finalmente, Hafid, com a voz áspera e velada, descrevia as dúvidas que o haviam assaltado na hospedaria, naquela mesma noite. Pathros o interrompeu:

— Conte-me, Hafid, as dúvidas, uma por uma, o que lhe passou pela cabeça quando se sentou lamentando a sorte.

Após Hafid nomeá-las todas, dando o melhor de sua memória, o ancião perguntou:

— Agora, que pensamento finalmente entrou-lhe pela cabeça e expulsou as dúvidas, dando-lhe nova coragem para se decidir a tentar de novo vender a túnica no dia seguinte?

Hafid ponderou sua resposta por um momento e então disse:

— Eu pensei apenas na filha de Calneh. Mesmo naquela imunda hospedaria, eu sabia que jamais poderia vê-la outra vez se fracassasse — e então a voz de Hafid faltou. — Mas eu falhei a ela, de qualquer forma.

— Falhou? Não entendo! Você não voltou com túnica!

Em voz tão baixa que Pathros teve de se curvar à frente para ouvir, Hafid contou-lhe o incidente da gruta, o menino, a túnica. Enquanto o jovem falava, Pathros relanceava os olhos repetidamente pela entrada aberta da tenda e pelo brilho além, que ainda iluminava o chão do campo. Um sorriso ganhou forma em seu rosto perplexo e ele não notou que o rapaz interrompera a história e soluçava.

Logo os soluços amainaram e houve apenas silêncio na grande tenda. Hafid não ousava fitar o amo. Fracassara e provara que não estava em condições de ser mais que um simples guardador de camelos. Combateu a ânsia de virar-se, de um salto, e fugir da tenda. Sentiu, então, a mão do grande vendedor no ombro e forçou-se a olhar o amo nos olhos.

— Meu filho, esta viagem foi de muito lucro para você.

— Não, senhor.

— Para mim, foi. A estrela que o seguiu curou-me de uma cegueira que ainda reluto em admitir. Explicar-lhe-ei isto depois que regressarmos a Palmira. Agora, faço-lhe um pedido.

— Sim, meu amo.

— Nossos vendedores começarão a chegar à caravana amanhã antes do pôr-do-sol e seus animais necessitarão de cuidado. Concorda em reassumir as funções de guardador de camelos, por enquanto?

Hafid pôs-se de pé resignadamente e curvou-se ante seu benfeitor.

— O que o senhor quiser. Estarei às ordens... e lamento ter fracassado ao senhor.

— Vá, então, e prepare o regresso de nossos homens; encontrar-nos-emos em Palmira.

Assim que Hafid atravessou a entrada da tenda, a brilhante luz do céu cegou-o momentaneamente. Esfregou os olhos e ouviu o seu amo chamá-lo de dentro da tenda.

O jovem virou-se e voltou para dentro, esperando que o ancião falasse. Então, Pathros apontou para ele e disse:

— Durma em paz, pois você não fracassou.

A estrela brilhante permaneceu no céu por toda a noite.

## Capítulo

# Seis

Quase duas semanas depois que a caravana regressara à base em Palmira, Hafid foi despertado em sua cama de palha, no estábulo, e chamado à presença de Pathros.

Dirigiu-se com rapidez ao dormitório do amo e parou, incerto, ante a enorme cama que reduzia o tamanho de seu ocupante. Pathros abriu os olhos e desvencilhou-se das cobertas até sentar-se ereto. Seu rosto estava descarnado e as veias inchavam-lhe as mãos. Era difícil acreditar que se tratasse do mesmo homem com quem falara apenas doze dias antes.

Pathros moveu-se para a parte mais baixa da cama e o jovem sentou-se cuidadosamente na beirada, esperando que o ancião falasse. Até mesmo a voz de Pathros era diferente, em som e timbre, daquela na última reunião.

— Meu filho, você ainda tem muitos dias para reexaminar suas ambições. Existe ainda, dentro de você, a vontade de se tornar um grande vendedor?

— Sim, meu senhor.

O ancião assentiu com a cabeça.

— Então, que assim seja. Planejara gastar muito mais tempo com você, mas, como pode ver, há outros planos para mim. Embora me considere um bom vendedor, sinto-me incapaz de vender à morte seu afastamento de minha porta. Ela tem esperado há dias, como um cão faminto à porta de nossa cozinha. Como o cão, ela sabe que finalmente encontrará a porta aberta...

Um acesso de tosse interrompeu Pathros e Hafid continuou inerte, enquanto o ancião lutava com a falta de ar. Finalmente, a tosse parou e Pathros sorriu com debilidade.

— Nosso tempo juntos é breve, de maneira que vamos começar. Primeiro, retire o pequeno baú de cedro de debaixo da cama.

Hafid ajoelhou-se e puxou um pequeno baú com correias de couro. Colocou-o sob o contorno que Pathros traçou com os pés na cama. O ancião pigarreou:

— Há muitos anos, quando minha posição era inferior à de um guardador de camelos, tive o privilégio de socorrer um viajante do Oriente que fora atacado por dois bandidos. Ele insistiu em que eu salvara sua vida e quis recompensar-me, embora eu não procurasse nenhuma recompensa. Como eu não tinha família, nem economias, convenceu-me a voltar com ele para sua casa e família, onde fui aceito como um dos seus.

"Um dia, depois que me acostumara a minha nova

vida, ele me apresentou este baú. Dentro havia dez pergaminhos de couro, todos numerados. O primeiro continha o segredo de aprender. Os outros continham todos os segredos e princípios necessários para tornar-me uma pessoa de grande êxito na arte de vender. Então, a seguir, foi-me ministrada, todos os dias, a palavra sábia dos pergaminhos, e com o segredo de aprender, do primeiro pergaminho, finalmente memorizei palavra por palavra de todos os pergaminhos até que elas se tornassem parte de minhas maneiras e de minha vida. Elas se tornaram hábito.

"Finalmente, recebi de presente com o baú, contendo os dez pergaminhos, uma carta selada e uma bolsa com cinqüenta moedas de ouro. A carta selada não era para abrir até que meu lar adotivo estivesse fora de vista. Despedi-me da família e esperei até alcançar a rota comercial para Palmira antes de abrir a carta. A carta, em essência, mandava-me tomar as moedas de ouro, aplicar o que aprendera dos pergaminhos e começar uma nova vida. Mandava, ainda, partilhar sempre a metade da riqueza adquirida, fosse ela qual fosse, com outras pessoas menos afortunadas, mas que não desse os pergaminhos de couro nem os partilhasse com ninguém até o dia em que eu recebesse um sinal especial que dissesse quem fora o próximo escolhido para recebê-los.

Hafid balançou a cabeça:

– Não entendo, senhor.

– Explicarei. Permaneci à espera dessa pessoa e do sinal por muitos anos e enquanto esperava apliquei o que aprendi dos pergaminhos para acumular uma grande fortuna. Quase cheguei a acreditar que tal pessoa jamais apareceria antes de minha morte, até que você regressou de sua viagem a Belém. Meu primeiro pressentimento de que você fora o escolhido para receber os pergaminhos veio-me quando você apareceu sob a estrela brilhante que o seguira de Belém. Em minha alma tentei compreender o significado desse fato, mas resignei-me a não desafiar as ações dos deuses. E então, quando você disse que cedera a túnica, que significava tanto para você, algo dentro de minha alma falou e disse que minha longa procura terminara. Descobrira finalmente aquele a quem fora ordenado ser o próximo a receber o baú. É estranho mas, logo que soube ter descoberto a pessoa certa, a energia de minha vida começou lentamente a se esvair. Agora, vejo-me próximo do fim, mas minha longa procura terminou e eu posso partir deste mundo em paz.

A voz do ancião enfraquecera, mas ele cerrou os punhos ossudos e curvou-se para junto de Hafid.

— Ouça atentamente, meu filho, já que não terei forças para repetir estas palavras.

Os olhos de Hafid estavam úmidos ao aproximar-se de seu amo. Suas mãos tocaram-se e o grande vendedor inalou o ar com esforço.

— Lego-lhe agora este baú e seu valioso conteúdo, mas antes há certas condições com as quais você deve concordar. No baú há uma bolsa com cem talentos de ouro. Isso o capacitará a viver e comprar um pequeno sortimento de tapetes com os quais você pode entrar no mundo dos negócios. Poderia deixar-lhe grande riqueza, mas isso seria um terrível desserviço. Muito melhor é que você se torne o maior e mais rico vendedor do mundo, sozinho. Como vê, não me esqueci do seu grande sonho.

"Parta imediatamente para Damasco. Lá, encontrará infinitas oportunidades de aplicar o que os pergaminhos lhe ensinarão. Logo que arranjar um alojamento, abra apenas o pergaminho Número Um. Leia-o repetidamente, até entender por completo o método secreto que ele descreve e que você usará para aprender os princípios do êxito em vendas, contidos em todos os outros. Tão logo aprenda de cada pergaminho, pode começar a vender os tapetes que comprou e, se combinar o que aprender com a experiência que adquirir e continuar a estudar cada pergaminho como foi instruído, suas vendas crescerão em número a cada dia. Minha primeira condição, então, é que você prometa sob juramento que seguirá as instruções do pergaminho Número Um. Concorda?

— Sim, senhor.

— Bom, bom... e, quando aplicar os princípios dos pergaminhos, tornar-se-á muito mais rico do que jamais sonhou. Minha segunda condição é que deve constantemente distribuir a metade de seus ganhos com aqueles menos afortunados do que você. Não deve haver nenhum desvio desta condição. Concorda?

— Sim, senhor.

— E, agora, a condição mais importante de todas. Você está proibido de partilhar os pergaminhos ou a sabedoria neles contida com os outros. Um dia surgirá alguém que lhe transmitirá um sinal, como a estrela; suas ações generosas foram o sinal que eu procurava. Quando isto acontecer, você reconhecerá o sinal, mesmo que a pessoa que o transmite ignore ser ela a criatura escolhida. Quando seu coração lhe assegurar que você está certo, então passará para ele ou ela o baú e seu conteúdo, e quando isso for efetivado não haverá nenhuma necessidade de impor condições ao recebedor como foram impostas a mim e agora, por meu intermédio, a você. A carta que recebi muito tempo atrás ordenava-me que o terceiro a recebê-los podia partilhar sua mensagem com o mundo se assim o desejasse. Você promete executar essa terceira condição?

— Prometo.

Pathros suspirou de alívio como se um grande peso tivesse sido retirado de suas costas. Sorriu fracamente e colheu a face de Hafid na concha de suas mãos ossudas.

— Pegue o baú e parta. Não mais o verei. Vá com o meu amor e meus votos de êxito, e que possa sua Lisha finalmente partilhar toda a felicidade que seu futuro trará.

As lágrimas rolavam sem receio pelas faces de Hafid ao pegar o baú e atravessar a porta aberta do dormitório. Ele parou um instante do lado de fora, colocou o baú no chão e voltou em direção ao seu amo:

— *O fracasso jamais me surpreenderá se minha decisão de vencer for suficientemente forte?*

O ancião sorriu levemente e assentiu. E ergueu a mão em adeus.

## Capítulo

# Sete

Hafid, montando seu animal, entrou na cidade murada de Damasco pelo portão Sul. Tomou a rua chamada Reta, com dúvidas e agitação, e o barulho e pregões de centenas de bazares amainaram-lhe um pouco o medo. Uma coisa era chegar a uma grande cidade com poderosa caravana comercial como a de Pathros; outra era chegar desprotegido e sozinho. Mercadores de rua passavam por ele esbaforidos, segurando mercadorias, cada um gritando mais alto do que o outro. Passou por lojas cubiculares e bazares que mostravam artefatos de caldeireiro, ourives, seleiro, tecelão, carpinteiro; e cada passo de sua mula punha-o frente a frente com outro mascate, mãos estendidas, chorando palavras de lamúria.

Logo adiante, além do muro ocidental da cidade, erguia-se o Monte Hermon. Embora fosse verão, o branco coroava-lhe o cume que parecia contemplar a cacofonia da feira com tolerância e indulgência. Finalmente, Hafid saiu da famosa rua e procurou alojamento, o que não lhe foi difícil encontrar, numa hospedaria chamada Mosha. Seu quarto era asseado e ele pagou adiantado um mês de aluguel, o que lhe deu um certo prestígio junto a Antonine, o proprietário. Então, guardou o animal atrás da hospedaria, banhou-se nas águas de Barada e retornou ao quarto.

Colocou o pequeno baú de cedro ao pé da cama e pôs-se a desatar as correias. A tampa se abriu com facilidade e ele fitou os pergaminhos de couro. Finalmente, estendeu a mão e tocou-os. Eles se moveram acidentalmente parecendo vivos, e Hafid retirou a mão sobressaltado. Ergueu-se e foi até a janela guarnecida de rótula por onde penetrava o barulho da ruidosa feira que ficava a quase um quilômetro. O medo e a dúvida de novo o assaltaram, ao olhar na direção de vozes veladas, e sentiu a confiança minguar. Cerrou os olhos, encostou a cabeça na parede e gritou alto:

— Que tolo sou eu! Pensar que um simples guardador de camelos poderia ser um dia aclamado como o maior vendedor do mundo, quando não tenho coragem sequer para passar montado pelas barracas dos mascates na rua! Hoje os meus olhos testemunharam centenas de vendedores, todos muito mais dotados em suas profissões do que eu. Todos tinham ousadia, entusiasmo e persistência, todos pareciam equipados para sobreviver na selva da feira. Quão estúpido e presunçoso pensar que posso competir e superá-los! Pathros, meu Pathros, temo que fracassarei com o senhor novamente.

Atirou-se à cama e, cansado de viajar, soluçou até dormir.

Amanhecia, quando despertou. Antes mesmo de abrir os olhos, ouviu o canto dos pássaros. Sentou-se, então, e fitou com indiferença o pardal empoleirado na tampa aberta do baú dos pergaminhos. Ele correu para a janela. Lá fora, milhares de pardais em bandos, nas figueiras e sicômoros, cada um saudando o dia com seu canto. Ao olhar, alguns pousaram na beirada da janela, mas ao menor movimento de Hafid rapidamente voaram para longe. Voltou-se, então, e fitou novamente o baú. Seu visitante alado aprumou a cabeça e olhou também o jovem.

Hafid aproximou-se lentamente, com as mãos estendidas. O pássaro pulou-lhe para a palma da mão.

— Milhares de sua espécie estão lá fora, medrosos. Mas você teve a coragem de atravessar a janela.

O pássaro bicou agudamente a pele de Hafid e o jovem levou-o para a mesa, onde havia pão e queijo. Tirou pedaços e os colocou junto ao amiguinho, que se pôs a comer.

Então ocorreu-lhe um pensamento e ele voltou à janela. Passou as mãos nas aberturas das grades. Eram tão pequenas... parecia quase impossível o pardal haver entrado. Foi quando recordou a voz de Pathros e repetiu, alto, as palavras:

— *O fracasso jamais me surpreenderá se minha decisão de vencer for suficientemente forte.*

Voltou para o baú e estendeu a mão. Um pergaminho de couro estava mais gasto que os outros. Retirou-o da caixa e desenrolou-o cuidadosamente. O medo que conhecera havia desaparecido. Olhou então para o pardal. Também havia desaparecido. Apenas migalhas de pão e queijo permaneciam como prova da visita da corajosa avezinha. Hafid correu os olhos pelo pergaminho. Em cima lia-se O *Pergaminho Número Um*. Pôs-se a ler...

# Capítulo

# Oito

## *O Pergaminho Número I*

Hoje começo uma nova vida.

Hoje mudo minha pele velha que sofreu, por muito tempo, as machucaduras do fracasso e os ferimentos da mediocridade.

Hoje renasço e meu berço é uma vinha onde há frutas para todos.

Hoje colherei uvas de sabedoria da mais alta e carregada videira da vinha, pois elas foram plantadas pelos mais sábios de minha profissão que me antecederam, geração após geração.

Hoje provarei o sabor das uvas destas videiras e, em verdade, engolirei a semente do êxito incrustada em cada uva e uma nova vida brotará de dentro de mim.

A carreira por mim escolhida é plena de oportunidades, embora repleta de desgosto e desespero e se os corpos daqueles que fracassaram fossem empilhados um em cima do outro lançariam sua sombra sobre todas as pirâmides da Terra.

Contudo, eu não fracassarei como os outros, pois em minhas mãos tenho agora o mapa que me guiará por águas perigosas às costas que, ontem mesmo, pareceriam apenas um sonho.

O fracasso não mais será o tributo da minha luta. Assim como a Natureza não preparou meu corpo para tolerar a dor, também não determinou que minha vida sofra o fracasso. O fracasso, como a dor, é elemento estranho à minha vida. No passado eu o aceitei, como aceitei a dor. Agora eu o rejeito e estou preparado pela sabedoria e os princípios que me guiarão das sombras para a luz da riqueza, das posições e da felicidade, bem além dos meus sonhos mais extravagantes, quando até mesmo as maçãs douradas do Jardim das Hespérides não me parecerão mais que minha justa recompensa.

O tempo ensina todas as coisas àquele que vive para sempre, mas não tenho o luxo da eternidade. Contudo, dentro do tempo que me foi concedido, vejo-me na obrigação de praticar a paciência, pois a Natureza jamais age apressadamente. Para criar a oliveira, rainha de todas as árvores, cem anos são necessários. Em nove semanas a cebola já está velha. Eu vivo como uma cebola. Isto não me agrada. Agora, tornar-me-ei na maior das oliveiras e, em verdade, no maior dos vendedores.

E como se realizará isto? Pois não tenho nem o conhecimento nem a experiência para alcançar grandeza e já tropeço na ignorância e caio nas águas da lamúria. A resposta é simples. Começarei minha jornada desembaraçado do peso de conhecimentos desnecessários e de obstáculos da experiência sem significado. A Natureza sempre me forneceu conhecimento e instinto maior do que a qualquer animal da floresta, superior até mesmo ao valor da experiência, em geral superestimado por velhos que parecem sábios, mas falam tolices.

Em verdade, a experiência ensina completamente, porém seu curso de instrução devora os anos dos homens e dessa maneira o valor de suas lições diminui com o tempo necessário para adquirir-se sua sabedoria especial. Seu objetivo desperdiça-se com homens moribundos. Ademais, a experiência é comparável à moda; uma ação que resulta em êxito hoje será inaproveitável e impraticável amanhã.

Apenas princípios permanecem e estes eu agora possuo, pois as leis que me levarão à grandeza estão contidas nas palavras dos pergaminhos. O que eles ensinarão será mais evitar o fracasso do que obter êxito, pois o que é o êxito senão um estado de espírito? Dois, entre mil sábios, se tanto, definirão o êxito nas mesmas palavras, enquanto o fracasso é sempre descrito de apenas um modo. *O fracasso é a incapacidade do homem em atingir seus objetivos na vida, sejam eles quais forem.*

Na verdade, a única diferença entre aqueles que falharam e aqueles que tiveram sucesso está na diferença de seus hábitos. Bons hábitos são a chave do sucesso. Maus hábitos são a porta aberta para o fracasso. Assim, a primeira lei que obedecerei é: *Formarei bons hábitos e me tornarei escravo deles.*

Quando criança, fui escravo de meus impulsos; agora sou escravo de meus hábitos, como todos os adultos. Rendi minha vontade própria aos anos de hábitos acumulados e os últimos feitos de minha vida já traçam um caminho que ameaça aprisionar meu futuro. Minhas ações são ditadas pelo apetite, paixão, preconceito, avidez, amor, medo, ambiente, hábito, e o pior de todos estes tiranos é o hábito. Se, portanto, devo ser escravo do hábito, que seja um escravo de bons hábitos. Meus maus hábitos devem ser destruídos e novos sulcos preparados para boas sementes.

Eu formarei bons hábitos e me tornarei escravo deles.

E como realizarei esse difícil feito? Através destes pergaminhos, pois cada um deles contém um princípio que expulsará o mau hábito de minha vida e nela recolocará outro que me aproximará do êxito. Pois é outra das leis naturais que apenas um hábito pode dominar outro hábito. Assim, para que estas palavras escritas realizem a tarefa escolhida, devo disciplinar-me ao seguinte, que é o primeiro de meus hábitos:

*Eu lerei cada pergaminho por trinta dias seguidos, da maneira prescrita, antes de passar ao pergaminho seguinte.*

Primeiro, lerei as palavras em silêncio, ao levantar Depois, lerei em silêncio, após almoçar. Finalmente, lerei de novo, antes de retirar-me para o leito e, mais importante, nesta ocasião lerei em voz alta.

No dia seguinte, repetirei o processo e continuarei dessa maneira por trinta dias. Tomarei, então, o pergaminho seguinte e repetirei esse processo por outros trinta dias. Continuarei assim até viver com cada pergaminho por trinta dias, e minha leitura se tornará um hábito.

E o que será realizado com esse hábito? Aqui está o segredo oculto das realizações de todos os homens. Com a repetição das palavras diariamente, elas logo se tornarão parte de minha mente ativa, porém, mais importante, também se infiltrarão em minha outra mente, essa misteriosa fonte que nunca dorme, que cria meus sonhos e freqüentemente me faz agir de maneiras que eu não compreendo.

Assim que as palavras destes pergaminhos forem consumidas pela minha mente misteriosa, eu começarei a despertar, cada manhã, com uma vitalidade que jamais conheci antes. Meu vigor aumentará, meu entusiasmo se levantará, meu desejo de encontrar o mundo vencerá todo o medo que um dia conheci ao nascer do sol e serei mais feliz do que jamais acreditei ser possível neste mundo de luta e tristeza.

Finalmente, encontrar-me-ei reagindo em todas as situações que confrontar, como foi ordenado nos pergaminhos, e, logo, essas ações e reações se tornarão fáceis de executar, pois cada ato, com a prática, torna-se fácil.

Assim, nasce um novo e bom hábito, pois quando um hábito se torna fácil, através de constante repetição, é um prazer executá-lo e, se é um prazer executá-lo, é da natureza do homem executá-lo freqüentemente. Quando eu o executo freqüentemente ele se torna um hábito e eu me torno seu escravo; e desde que seja um bom hábito é a minha vontade.

Hoje começo uma nova vida.

E juro solenemente a mim mesmo que nada retardará o crescimento de minha nova vida. Não perderei um dia sequer destas leituras, pois este dia não pode ser recuperado nem posso substituí-lo por outro. Não devo, não quero quebrar o hábito de ler diariamente estes pergaminhos e, em verdade, os poucos momentos passados cada dia com este hábito são apenas um pequeno preço a pagar pela felicidade e êxito que serão meus.

Ao ler e reler as palavras dos pergaminhos a serem obedecidas, nunca permitirei que a brevidade ou a simplicidade de suas palavras me faça encarar a mensagem como se fosse superficial. Milhares de uvas são amassadas para encher uma jarra de vinho, e a casca de uva e sua polpa ainda são bicadas pelos pássaros. Assim é com estas uvas de sabedoria das gerações. Muito tem sido filtrado e abalado pelo vento. Apenas a verdade pura permanece destilada nas palavras, para ser lembrada. Beberei segundo as instruções e não perderei uma só gota. E engolirei a semente do êxito.

Hoje minha pele velha se assemelha a poeira. Andarei a prumo entre os homens e eles não me reconhecerão, pois hoje sou um novo homem, com uma vida nova.

# *Capítulo*

# *Nove*

## *O Pergaminho Número II*

Saudarei este dia com amor no coração.

Pois este é o maior segredo do êxito em todas as aventuras. Os músculos podem partir um escudo e até destruir a vida, mas apenas os poderes invisíveis do amor podem abrir os corações dos homens, e até dominar esta arte não serei mais que um mascate na feira. Farei do amor minha maior arma e ninguém que a enfrente poderá defender-se de sua força.

Podem opor-se ao meu raciocínio, desconfiar de minhas apregoações; podem desaprovar meus trajes; podem rejeitar meu rosto; e podem até suspeitar de meus negócios; contudo, meu amor enternecerá todos os corações, comparável ao Sol cujos raios suavizam o mais frio barro.

Saudarei este dia com amor no coração.

E como o farei? De hoje em diante olharei todas as coisas com amor e renascerei. Amarei o Sol porque aquece os meus ossos; não obstante, amarei a chuva porque purifica meu espírito. Amarei a luz porque me mostra o caminho; não obstante, amarei a escuridão porque me faz ver as estrelas. Eu receberei a felicidade porque ela engrandece o meu coração; não obstante, tolerarei a tristeza porque abre a minha alma. Aceitarei prêmios porque são minhas recompensas; não obstante, receberei de bom grado os obstáculos, porque eles são meu desafio.

Saudarei este dia com amor no coração.

E como falarei? Enaltecerei meus inimigos e eles se tornarão amigos. Encorajarei meus amigos e eles se tornarão irmãos. Cavarei fundo, buscando razões para aplaudir; jamais arranjarei justificativas para maldizer. Quando tentado a criticar, morderei a língua; quando me decidir a elogiar alguém, falarei alto acima dos tetos.

Não é assim que os pássaros, o vento, o mar e toda a natureza falam com a música de louvor pelo seu criador? Não posso conversar no mesmo tom com seus filhos? De hoje em diante relembrarei este segredo e mudarei minha vida.

Saudarei este dia com amor no coração.

E como agirei? Amarei todos os comportamentos dos homens, pois cada um tem qualidades para ser admirado, mesmo se estiverem ocultas. Com amor derrubarei o muro da suspeita e ódio que construíram em volta dos corações e, em seu lugar, construirei pontes para que meu amor possa entrar em suas almas.

Amarei as ambições, pois elas podem inspirar-me; amarei os fracassos, pois eles podem ensinar-me. Amarei os reis, pois eles são apenas humanos; amarei os humildes, pois eles são filhos de Deus. Amarei os ricos, pois eles são, não obstante, solitários; amarei os pobres, pois eles são muitos. Amarei os jovens, pela fé que têm; amarei os velhos, pela sabedoria que partilham. Amarei os formosos, por seu olhar de tristeza; amarei os feios, por suas almas de paz.

Saudarei este dia com amor no coração.

Mas como reagirei às reações dos outros? Com amor. Pois, sendo a minha arma para abrir os corações dos homens, o amor é também o meu escudo para repelir as setas do ódio e as lanças da ira. A adversidade e o desencorajamento se chocarão contra meu novo escudo e se tornarão como as chuvas mais brandas. Meu escudo me protegerá na feira e me sustentará quando sozinho. Ele me reanimará em momentos de desespero e, contudo, me acalmará na exultação. Tornar-me-ei mais forte e mais protegido usando-o até o dia em que ele seja parte de mim, e andarei desembaraçado entre todos os comportamentos dos homens, e meu nome se erguerá alto na pirâmide da vida.

Saudarei este dia com amor no coração.

E como enfrentarei cada um que encontrar?

De apenas um modo. Em silêncio, e, para mim mesmo, dir-lhe-ei: "Eu Amo Você." Embora ditas em silêncio, estas palavras brilharão em meus olhos, desenrugarão minha fronte, trarão um sorriso a meus lábios e ecoarão em minha voz; e o coração dele se abrirá. E quem dirá não às minhas mercadorias quando seu coração sente meu amor?

Saudarei este dia com amor no coração.

E acima de tudo amarei a mim mesmo, pois, quando o fizer, zelosamente inspecionarei todas as coisas que entraram em meu corpo, minha mente, minha alma e meu coração. Jamais abusarei das solicitações da carne, mas, sobretudo, cuidarei de meu corpo com asseio e moderação. Jamais permitirei que minha mente seja atraída para o mal e o desespero, mas sobretudo a elevarei, com o conhecimento e a sabedoria das gerações. Jamais permitirei que minha alma se torne complacente e satisfeita, mas haverei de alimentá-la com meditação e oração. Jamais permitirei que meu coração se amesquinhe e padeça, mas compartilhá-lo-ei e ele crescerá e aquecerá a Terra.

Saudarei este dia com amor no coração.

De hoje em diante amarei a humanidade. Deste momento em diante todo o ódio desaparece de minhas veias, pois não tenho tempo para odiar, apenas para amar. Deste momento em diante dou o primeiro passo necessário para me tornar um homem entre homens. Com amor, aumentarei minhas vendas cem vezes mais e me tornarei um grande vendedor. Se nenhuma outra qualidade possuo, posso ter êxito apenas com o amor. Sem ele eu fracassarei, embora possua todo o conhecimento e as técnicas do mundo.

Saudarei este dia com amor e terei êxito.

## *Capítulo*

# *Dez*

### O *Pergaminho Número III*

Persistirei até alcançar êxito.

No Oriente, os touros jovens são testados para o combate na arena de um modo apropriado. São levados um a um para a arena, e permite-se que ataquem o picador que os provoca com uma lança. A bravura de cada touro é então avaliada com cuidado segundo o número de vezes que demonstra persistência para investir apesar da ferroada da lâmina. De hoje em diante reconhecerei que cada dia sou testado pela vida do mesmo modo. Se persisto, se continuo a tentar, se continuo a investir, terei êxito.

Persistirei até alcançar êxito.

Eu não cheguei a este mundo numa situação de derrota, nem o fracasso corre em minhas veias. Não sou ovelha à espera de que meu pastor me aguilhoe e acaricie, mas um leão, e me recuso a falar, andar e dormir com a ovelha. Não ouvirei aqueles que choram e se queixam, pois tal doença é contagiosa. Eles que se unam à ovelha. O matadouro do fracasso não é o meu destino.

Persistirei até alcançar êxito.

Os prêmios da vida estão no fim de cada jornada, não próximos do começo; não me é dado saber quantos passos são necessários a fim de alcançar o objetivo. O fracasso pode ainda se encontrar no milésimo passo, mas o sucesso se esconde atrás da próxima curva da estrada. Jamais saberei a que distância está, a não ser que dobre a curva.

Sempre darei um passo avante. Se este não resultar em nada, darei outro e mais outro. Em verdade, dar um passo de cada vez não é difícil.

Persistirei até alcançar êxito.

De hoje em diante, considerarei o esforço de cada dia como um golpe do meu machado no poderoso carvalho. O primeiro golpe pode não causar tremor na madeira, nem o segundo, nem o terceiro. Cada golpe pode parecer insignificante e sem nenhuma conseqüência. Contudo, a custo de infantis golpes, o carvalho finalmente tombará. Assim também será com os meus esforços de hoje.

Sou comparável a uma gota de chuva que lava a montanha; à formiga que devora o tigre; à estrela que ilumina a Terra; ao escravo que constrói uma pirâmide. Construirei meu castelo com um tijolo de cada vez, pois sei que pequenas tentativas repetidas completarão qualquer empreendimento.

Persistirei até alcançar êxito.

Jamais aceitarei a derrota, e retirarei de meu vocabulário palavras e expressões como "desistir", "não posso", "incapaz", "impossível", "fora de cogitação", "improvável", "fracasso", "impraticável", "sem esperança" e "recuo", pois são palavras e expressões de tolos. Evitarei o desespero, mas se essa doença da mente me contagiar, então prosseguirei, mesmo em desespero. Trabalharei firme e permanecerei. Ignorarei os obstáculos sob meus pés e manterei meus olhos firmes nos objetivos acima de minha cabeça, pois sei que onde um deserto árido termina, a grama verde nasce.

Persistirei até alcançar êxito.

Eu me lembrarei das velhas leis comuns e as usarei em meu benefício. Persistirei com o conhecimento de que cada fracasso em vender aumentará minha oportunidade de êxito na tentativa seguinte. Cada "não" que ouvir me trará para junto do som do "sim". Cada sobrolho franzido que encontrar apenas me preparará para o sorriso que chega. Cada infortúnio com que me deparar trará consigo a semente da sorte do amanhã. Eu preciso da noite para apreciar o dia. Devo fracassar muito para alcançar o sucesso definitivo.

Persistirei até alcançar êxito.

Tentarei e tentarei e tentarei de novo. Cada obstáculo, considerarei como um mero atraso em relação ao meu objetivo e um desafio à minha profissão. Persistirei e desenvolverei minhas técnicas como um marinheiro desenvolve a sua, aprendendo a escapar da ira de cada tempestade.

Persistirei até alcançar êxito.

De hoje em diante, aprenderei e aplicarei outro segredo importante para o sucesso do meu trabalho. Ao findar de cada dia, independente de êxito ou fracasso, tentarei efetuar mais uma venda. Quando os meus pensamentos acenarem com o caminho de casa ao meu corpo cansado, resistirei à tentação de partir. Tentarei novamente, farei uma tentativa mais para fechar com vitória e, se fracassar, farei outra. Jamais permitirei que o dia termine com um fracasso. Assim, plantarei a semente do êxito de amanhã e ganharei uma insuperável vantagem sobre aqueles que interrompem o trabalho a uma determinada hora. Quando outros interrompem suas lutas, então a minha começará e minha colheita será plena.

Persistirei até alcançar êxito.

Nao permitirei que o êxito de ontem me embale na complacência de hoje, pois essa é a grande razão do fracasso. Esquecerei os acontecimentos do dia anterior, sejam eles bons ou maus, e saudarei o novo sol com a confiança de que este será o melhor dia de minha vida.

Até onde o fôlego me acompanhar, persistirei. Pois agora conheço um dos maiores princípios do êxito; se persisto o bastante, vencerei.

Eu persistirei.

Eu vencerei.

# Capítulo

# Onze

## *O Pergaminho Número IV*

Eu sou o maior milagre da natureza.

Desde o começo dos tempos jamais houve outro com minha mente, meu coração, meus olhos, meus ouvidos, minhas mãos, meu cabelo, minha boca. Ninguém que me antecedeu, ninguém que ainda vive, nem ninguém que virá pode andar e falar e pensar exatamente como eu. Todos os homens são meus irmãos, porém sou diferente deles todos. Sou uma criatura singular.

Eu sou o maior milagre da natureza.

Embora eu seja do reino animal, os prazeres apenas

animais não me satisfazem. Dentro de mim arde a chama que tem passado de gerações incontáveis, e seu calor é uma constante incitação para o meu espírito, para me tornar melhor do que sou, e melhor me tornarei. Soprarei esta chama da insatisfação e proclamarei minha singularidade ao mundo.

Ninguém é capaz de reproduzir minha pincelada, ninguém é capaz de repetir as marcas de meu cinzel, ninguém é capaz de reproduzir minha caligrafia, ninguém é capaz de fornecer o meu produto, e, em verdade, ninguém tem a habilidade para vender exatamente como eu. De hoje em diante, aproveitarei esta diferença, pois é uma garantia a ser inteiramente incentivada.

Eu sou o maior milagre da natureza.

Basta, para mim, de vãs tentativas ou imitações dos outros. Em vez disto, colocarei minha singularidade à mostra na feira. Eu a proclamarei, sim, eu a venderei. Começarei agora a acentuar a diferença, a ocultar as similaridades. Da mesma forma, aplicarei este princípio às mercadorias que vender. Vendedor e mercadorias diferentes dos outros e orgulhoso das diferenças.

Sou uma criatura singular da natureza.

Sou raro, e há um valor em toda raridade; portanto, sou valioso. Sou o produto final de milhares de anos de evolução; portanto, estou mais bem equipado em mente e corpo do que todos os imperadores e sábios que me precederam.

Mas minhas técnicas, minha mente, meu coração e meu corpo estagnarão, degenerarão e morrerão se não forem colocados em uso. Tenho potencial ilimitado. Emprego somente uma parte de meu cérebro; flexiono apenas uma desprezível porção de meus músculos. Posso centuplicar minhas realizações de ontem, e é o que farei a partir de hoje.

Jamais ficarei satisfeito com as realizações de ontem, nem me entregarei mais à vanglória dos meus feitos que, em realidade, são pequenos demais para serem sequer reconhecidos. Posso realizar muito mais, e realizarei, pois por que deveria o milagre que me produziu findar-se com o meu nascimento? Por que não posso estender este milagre aos feitos de hoje?

Eu sou o maior milagre da natureza.

Não estou nesta terra por acaso. Estou para um propósito, e esse propósito é transformar-me numa montanha e não me encolher ao tamanho de um grão de areia. De hoje em diante aplicarei todos os meus esforços para me tornar a mais alta montanha e forçarei minhas capacidades até que elas peçam misericórdia.

Aumentarei meu conhecimento da humanidade, o meu próprio e das mercadorias que vendo; assim minhas vendas se multiplicarão. Praticarei e melhorarei e aperfeiçoarei meu vocabulário para vender minhas mercadorias, pois este é o fundamento sobre o qual construirei minha carreira e jamais esquecerei que muitos atingiram grande riqueza e êxito com apenas uma apregoação, pronunciada com excelência. Também procurarei constantemente melhorar meus modos e virtudes, pois eles são o açúcar que a todos atrai.

Eu sou o maior milagre da natureza.

Concentrarei minha energia no desafio do momento e minhas ações me ajudarão a esquecer tudo o mais. Os problemas caseiros em casa serão deixados. Não pensarei em minha família quando estiver na feira; isso viria obscurecer meus pensamentos. Da mesma maneira os problemas da feira na feira serão deixados, e não pensarei em minha profissão quando estiver em casa, pois isto embotará o meu amor.

Não há lugar na feira para minha família, nem há lugar em meu lar para a feira. Divorciarei um do outro e assim permanecerei casado com ambos. Separados devem permanecer ou minha carreira morrerá. Este é um paradoxo das gerações.

Eu sou o maior milagre da natureza.

Recebi olhos para ver e mente para pensar, e agora conheço um grande segredo da vida, pois percebo, finalmente, que todos os meus problemas, desânimos e agitações são, em verdade, grandes oportunidades disfarçadas. Não mais serei enganado pela aparência dos outros, pois meus olhos estão abertos. Olharei mais do que a roupa e não serei iludido.

Eu sou o maior milagre da natureza.

Nenhum animal, nenhuma planta, nenhum vento, nenhuma chuva, nenhuma pedra, nenhum lago teve o mesmo começo que eu, pois fui concebido em amor e trazido à luz com um propósito. No passado não havia examinado este fato, mas de hoje em diante ele modelará e norteará minha vida.

Eu sou o maior milagre da natureza.

E a natureza não conhece derrota. Por fim, ela emerge vitoriosa e assim emergirei eu, e após cada vitória a próxima luta se torna menos difícil.

Vencerei e me tornarei um grande vendedor, pois sou uma pessoa singular.

Eu sou o maior milagre da natureza.

# *Capítulo*

# *Doze*

## *O Pergaminho Número V*

Viverei hoje como se fosse meu último dia.

E agora o que farei com este último e precioso dia que resta em meu poder? Primeiro, tamparei o vidro para que nenhuma gota se derrame na areia. Não desperdiçarei um momento sequer velando os infortúnios ou as derrotas do ontem, as dores de coração, pois por que deveria eu relegar o bem ao mal?

Poderá a areia escorrer do chão para a taça do tempo? Levantar-se-á o sol de onde se põe e se porá de onde se levanta? Posso eu reviver os erros do ontem e corrigi-los?

Posso chamar de volta os ferimentos do ontem e curá-los? Posso tornar-me mais jovem do que era ontem? Posso retirar o mal que foi pronunciado, os socos que foram desferidos, a dor que foi causada? Não. O ontem está enterrado para sempre e nele não mais pensarei.

Viverei hoje como se fosse meu último dia.

E agora o que farei? Esquecendo o ontem também não pensarei no futuro. Por que deveria eu relegar o *agora* ao *talvez*? Pode a areia de amanhã escorrer para a taça antes de hoje? Levantar-se-á o sol duas vezes esta manhã? Posso eu executar os feitos de amanhã enquanto estiver na trilha de hoje? Posso colocar o ouro de amanhã na bolsa do hoje? Pode a criança de amanhã nascer hoje? Pode a morte de amanhã lançar suas sombras de volta e enegrecer a alegria de hoje? Deveria preocupar-me com os eventos que talvez jamais testemunhe? Deveria me atormentar com os problemas que talvez jamais venha a ter? Não! O amanhã está tão enterrado quanto o ontem e não pensarei mais nisso.

Viverei hoje como se fosse meu último dia.

Este dia é tudo o que tenho e estas horas são agora a minha eternidade. Saúdo este nascer do sol com gritos de alegria, como um prisioneiro que é aliviado da sentença de morte. Ergo meus braços em gratidão por esta dádiva sem preço: um novo dia. Da mesma maneira, levarei a mão ao peito em gratidão ao pensar naqueles que saudaram o nascer do sol do ontem e que não mais estão entre os vivos. Sou realmente um afortunado e as horas do hoje não são senão um bônus imerecido. Por que me foi permitido viver este dia extra quando outros, muito melhores do que eu, já feneceram? Será que eles realizaram seus propósitos enquanto o meu ainda está por alcançar? Será esta uma outra oportunidade para que eu me torne o homem que poderei ser? Há um propósito na natureza? Será este o meu dia de vencer?

Viverei hoje como se fosse meu último dia.

Não tenho senão uma vida e a vida não é senão uma medida de tempo. Ao perder um, destruo o outro. Se desperdiço o hoje, destruo a última página de minha vida. Velarei, portanto, em cada hora neste dia, pois ela jamais poderá voltar. Ela não pode ser depositada hoje para ser retirada amanhã, pois quem pode burlar o vento? Agarrarei com as duas mãos e acariciarei com amor cada minuto deste dia, pois seu valor é sem preço. Que moribundo pode comprar outro fôlego, embora, de bom grado, dê todo o seu ouro? Que preço ouso fixar para as horas adiante de mim? Eu as farei inestimáveis!

Viverei hoje como se fosse meu último dia.

Evitarei com fúria os desperdiçadores de tempo. A procrastinação destruirei com ações; a dúvida enterrarei sob a fé; o medo desmembrarei com confiança. Onde houver bocas ociosas não ouvirei nada; onde houver mãos ociosas não me demorarei; onde houver corpos ociosos não visitarei. De hoje em diante, sei que cortejar a ociosidade é roubar alimento, roupa e calor daqueles que amo. Não sou ladrão. Sou um homem de amor e hoje é minha última oportunidade de provar meu amor e minha grandeza.

Viverei hoje como se fosse meu último dia.

Cumprirei hoje os deveres de hoje. Hoje acariciarei meus filhos enquanto são jovens; amanhã eles partirão e eu também. Hoje abraçarei minha mulher com doces beijos; amanhã ela partirá e eu também. Hoje ajudarei um amigo em necessidade; amanhã ele não mais gritará por ajuda, nem eu ouvirei seus gritos. Hoje me entregarei ao sacrifício e ao trabalho; amanhã não terei nada para entregar e nem haverá ninguém para receber.

Viverei hoje como se fosse meu último dia.

E se for será meu maior monumento. Farei deste o melhor dia de minha vida. Beberei a cada minuto à sua plenitude. Provarei seu sabor e agradecerei aos céus. Farei valer todas as horas e negociarei cada minuto somente por alguma coisa de valor. Trabalharei mais arduamente do que jamais trabalhei e forçarei meus músculos até que chorem de dor, e então prosseguirei. Farei até mais visitas do que antes. Venderei mais mercadorias do que jamais vendi antes. Ganharei mais ouro do que jamais ganhei antes. Cada minuto do dia de hoje será mais frutífero do que horas do dia de ontem. Meu último dia deve ser meu melhor dia.

Viverei hoje como se fosse meu último dia.

E, se não for, cairei de joelhos e agradecerei aos céus.

# Capítulo

# Treze

## O Pergaminho Número VI

Hoje serei dono de minhas emoções.

As marés avançam; as marés recuam. Vai o inverno e vem o verão. Finda-se o verão e aumenta o frio. Levanta-se o sol; põe-se o sol. Cheia é a lua; negra é a lua. Chegam os pássaros; partem os pássaros. Florescem as flores; murcham as flores. Plantam-se as sementes; colhem-se as colheitas. Toda a natureza é um círculo de ânimos; eu sou uma parte da natureza e, assim como as marés, meus ânimos se elevarão e meus ânimos cairão.

Hoje serei senhor de minhas emoções.

É uma das artimanhas pouco percebidas da natureza que cada dia acorde com ânimos diferentes dos da véspera. A alegria de ontem será a tristeza de hoje; já a tristeza de hoje se transformará na alegria de amanhã. Dentro de mim há uma roda constantemente a girar, da tristeza para a alegria, da exultação para a depressão, da felicidade para a melancolia. Como as flores, a florescência plena da alegria de hoje fenecerá e murchará em desespero; porém, relembrarei que, como as flores mortas de hoje carregam a semente da florescência de amanhã, assim também a tristeza de hoje carrega a semente da alegria de amanhã.

Hoje serei senhor de minhas emoções.

E como assenhorear-me dessas emoções, para que cada dia seja produtivo? Pois, a não ser que o meu ânimo seja forte, o dia será um fracasso. As árvores e as plantas dependem da temperatura para florescerem, mas eu farei minha própria temperatura, sim, eu a transportarei comigo. Se eu trouxer a chuva, a melancolia, a escuridão e o pessimismo aos meus fregueses, eles reagirão com chuva, melancolia, escuridão e pessimismo e não comprarão nada. Mas, ao invés disso, se lhes trouxer alegria, entusiasmo, claridade e riso, eles reagirão com alegria, entusiasmo, claridade e riso e minha temperatura produzirá uma colheita de vendas e um celeiro de ouro.

Hoje serei senhor de minhas emoções.

E como assenhorear-me de minhas emoções para que cada dia traga a felicidade e seja produtivo? Aprenderei este segredo das gerações: *Fraco é aquele que permite que seus pensamentos controlem suas ações; forte é aquele que força suas ações a controlar seus pensamentos.* Cada dia, ao acordar, seguirei este plano de batalha antes que seja capturado pelas forças da tristeza, da lamúria e do fracasso:

Cantarei, se me sentir deprimido.

Rirei, se me sentir triste.

Redobrarei meu trabalho, se me sentir doente.

Avançarei, se sentir medo.

Vestirei roupas novas, se me sentir inferior.

Erguerei minha voz, se me sentir inseguro.

Relembrarei meu êxito passado, se me sentir incompetente.

Relembrarei meus objetivos, se me sentir insignificante.

Hoje serei senhor de minhas emoções.

De hoje em diante saberei que apenas os de capacidade inferior podem estar sempre em sua melhor forma e eu não sou inferior. Dias haverá em que terei de lutar contra forças que me derrubariam, se pudessem. Os desesperados e os tristes são fáceis de conhecer, mas há quem virá com sorriso e mão de amizade, e pode destruir-me. Também contra esse jamais devo ceder o controle.

Recordarei meus fracassos, se me tornar confiante demais.

Pensarei nas fomes passadas, se abusar do presente.

Relembrarei minha luta, se me sentir complacente.

Relembrarei momentos de vergonha, se me entregar a momentos de grandeza.

Tentarei parar o vento, se me sentir com poder demais.

Relembrarei uma boca sem alimento, se atingir grande riqueza.

Relembrarei momentos de fraqueza, se me tornar demasiado orgulhoso.

Fitarei as estrelas ao sentir que minhas técnicas são inigualáveis.

Hoje serei senhor de minhas emoções.

E, com este novo conhecimento, também entenderei e reconhecerei os ânimos daquele a quem visito. Permitirei que extravase sua ira e irritação de hoje, pois ele não conhece o segredo de controlar sua mente. Posso tolerar-lhe as setas e insultos, pois agora sei que amanhã ele mudará e, então, será uma alegria aproximar-me dele.

Não mais julgarei um homem apenas por um encontro; não mais deixarei de visitar amanhã, de novo, aquele que se encontra irado hoje. Neste dia ele não dará um tostão por artigos de ouro; amanhã, trocará sua casa por uma árvore. Meu conhecimento deste segredo será minha chave para a grande riqueza.

Hoje serei senhor de minhas emoções.

De hoje em diante, reconhecerei e identificarei o mistério dos ânimos em toda a humanidade e em mim. A partir de hoje estou preparado para controlar qualquer estado de espírito com que desperte cada dia. Serei senhor de meus ânimos pela ação positiva e, enquanto for senhor de meus ânimos, controlarei o meu destino.

Hoje controlarei o meu destino e meu destino é tornar-me o maior vendedor do mundo.

Serei dono de mim mesmo.

Serei grande.

# Capítulo

# Quatorze

## *O Pergaminho Número VII*

Rirei do mundo.

Nenhuma criatura viva ri, à exceção do homem. As árvores podem sangrar quando feridas e os animais no campo gritarão de dor e fome, mas apenas eu tenho o dom de rir, e ele é meu, para usar quando o desejar. De hoje em diante, cultivarei o hábito de rir.

Sorrirei e minha digestão será melhor; rirei baixinho e minhas obrigações serão aliviadas; rirei e minha vida se alongará, pois este é o segredo da vida longa, e agora é meu.

Rirei do mundo.

E principalmente rirei de mim mesmo, pois o homem é mais cômico quando se leva a sério demais. Jamais cairei nesta armadilha da mente. Pois, embora eu seja o milagre da natureza, não sou ainda um mero grão jogado para lá e para cá pelos ventos do tempo? Sei eu realmente de onde vim e para onde vou? Não parecerá tola minha preocupação de hoje, daqui a dez anos? Por que deveria eu permitir que os mesquinhos acontecimentos de hoje me perturbem? O que pode ocorrer ante este Sol, que não parecerá insignificante no rio dos séculos?

Rirei do mundo.

E como posso rir, quando confrontado com o homem ou o feito que me ofende de maneira a fazer brotar minhas lágrimas e minhas imprecações? Três palavras ensaiarei dizer, até que se tornem um hábito tão forte que, imediatamente, aparecerão em minha mente, a qualquer momento que o bom humor ameaçar abandonar-me. Essas palavras, passadas pelos antigos, me conduzirão por toda a adversidade e manterão minha vida em equilíbrio. As três palavras são: *Isto também passará.*

Rirei do mundo.

Pois todas as coisas mundanas, na verdade, passarão. Quando estiver abatido pelo desgosto, devo consolar-me, pois isto também passará; quando estiver enfunado com o êxito, devo advertir-me de que isto também passará; quando estiver carregado de riqueza, direi para mim mesmo que isto também passará. Sim, pois, em verdade, onde está aquele que construiu as pirâmides? Não está soterrado dentro de sua pedra? E também não serão as pirâmides soterradas pela areia? Se todas as coisas um dia passarão, por que deveria eu preocupar-me com o hoje:

Rirei do mundo.

Pintarei este dia com risos; modelarei esta noite em canção. Jamais trabalharei para ser feliz; mas, sobretudo, permanecerei ocupado demais para ser triste. Desfrutarei hoje a felicidade de hoje. Ela não é um grão para ser armazenada numa caixa. Ela não é vinho para ser guardada na jarra. Ela não pode ser guardada para o dia seguinte. Deve ser plantada e colhida no mesmo dia e isto eu farei, de hoje em diante.

Rirei do mundo.

E, com meus risos, todas as coisas serão reduzidas ao seu real tamanho. Rirei dos meus fracassos e eles desaparecerão nas nuvens de novos sonhos; rirei de meus êxitos e eles se encolherão aos seus reais valores. Rirei do mal e ele morrerá esquecido; rirei da bondade e ela se esforçará e crescerá. Cada dia será triunfante apenas quando meus sorrisos provocarem sorrisos dos outros e isso farei de modo egoísta, pois aqueles a quem fito severamente são os que não compram minhas mercadorias.

Rirei do mundo.

De hoje em diante derramarei apenas lágrimas de suor, pois as de tristeza, de remorso ou de frustração não têm valor na feira, enquanto que cada sorriso pode ser trocado por ouro e cada palavra gentil saída de meu coração pode construir um castelo.

Jamais permitirei tornar-me tão importante, tão sábio, tão imponente e tão poderoso que esqueça de como rir de mim mesmo e do meu mundo. Assim, sempre permanecerei uma criança, pois apenas como criança recebo a capacidade de erguer os olhos para os outros; e, enquanto erguer os olhos para os outros, jamais serei grande demais para a minha cama.

Rirei do mundo.

E enquanto rir jamais serei pobre. É esta, então, uma das maiores dádivas da natureza e eu não mais a desperdiçarei. Apenas com o sorriso e a felicidade posso eu realmente tornar-me um êxito. Apenas com o sorriso e a felicidade posso apreciar os frutos de meu trabalho. Se assim não fosse, muito melhor seria fracassar, pois a felicidade é o vinho que aguça o sabor da comida. Para apreciar o êxito devo ter felicidade e o sorriso será o criado que me servirá.

Serei feliz.

Terei êxito.

Serei o maior vendedor que o mundo jamais conheceu.

## Capítulo

# Quinze

### *O Pergaminho Número VIII*

Hoje centuplicarei meu valor.

Uma folha de amoreira, tocada pelo gênio do homem, torna-se seda.

Um campo de barro, tocado pelo gênio do homem, torna-se um castelo.

Um cipreste, tocado pelo gênio do homem, torna-se um santuário.

A lã tosquiada da ovelha, tocada pelo gênio do homem, torna-se vestuário para um rei.

Se é possível às folhas, ao barro, à madeira e à lã terem

seu valor centuplicado, sim, multiplicado pelo homem, não posso eu fazer o mesmo com o barro que leva meu nome?

Hoje centuplicarei meu valor.

Sou comparável ao grão de trigo que enfrenta um de três futuros. O trigo pode ser ensacado e armazenado num depósito até servir de alimento ao suíno. Ou pode virar farinha e fazer o pão. Ou pode ser lançado à terra e crescer até que sua espiga dourada divida-se e produza, de um, milhares de grãos.

Sou comparável ao grão de trigo, com apenas uma diferença. O trigo não pode escolher entre ser alimento do suíno, base da farinha, ou plantado para multiplicar-se. Eu posso escolher e não deixarei que minha vida seja alimento do suíno, nem a deixarei colocar-se sob as rodas do fracasso e do desespero para ser despedaçada e devorada pela vontade dos outros.

Hoje centuplicarei meu valor.

Para crescer e multiplicar é necessário plantar o grão de trigo na escuridão da terra e meus fracassos, meus desesperos, minha ignorância e minhas inabilidades são a escuridão em que fui plantado a fim de amadurecer-me. Agora, como o grão de trigo que brota e floresce é apenas nutrido com chuva e sol e ventos quentes, eu também devo nutrir meu corpo e minha mente para realizar meus sonhos. Mas, para crescer a grande altura, o trigo deve esperar pelos caprichos da natureza. Eu não necessito esperar, pois tenho o poder de escolher meu próprio destino.

Hoje centuplicarei meu valor.

E como realizarei isto? Primeiro, estabelecerei objetivos para cada dia, cada semana, cada mês, cada ano e para minha vida. Assim como a chuva deve cair antes que o trigo quebre a casca e brote, assim também devo ter objetivos antes que minha vida se cristalize. Ao estabelecer meus objetivos, pensarei em meu melhor desempenho no passado e o centuplicarei. Este será o padrão sobre o qual viverei no futuro. Jamais me preocuparei com a elevada altura de meus objetivos, pois não é melhor apontar minha lança para a lua e atirá-la apenas numa águia do que apontá-la para a águia e acertar apenas na rocha?

Hoje centuplicarei meu valor.

A altura dos meus objetivos não me apavorará, embora possa tropeçar freqüentemente antes de alcançá-los. Se tropeçar, levantar-me-ei e minhas quedas não me preocuparão, pois todos os homens devem tropeçar muitas vezes para alcançar a glória. Apenas o verme é livre da preocupação de tropeços. Eu não sou um verme. Que os outros construam uma caverna com seus barros. Eu construirei um castelo com o meu.

Hoje centuplicarei meu valor.

E assim, como o sol aquece a terra para fazer com que brote a semente de trigo, também as palavras destes pergaminhos aquecerão minha vida e transformarão meus sonhos em realidade. Hoje superarei toda ação que executei ontem. Subirei a montanha do hoje com o extremo de minha capacidade, amanhã subirei mais alto que hoje e, no dia seguinte, mais alto que na véspera. Superar os feitos dos outros é importante; superar meus próprios feitos é tudo.

Hoje centuplicarei meu valor.

E assim como o vento quente conduz o trigo à madureza, o mesmo vento levará minha voz aos que me darão ouvidos, e minhas palavras anunciarão meus objetivos.

Uma vez pronunciadas, não ousarei recordá-las para que não percam a expressão. Serei meu próprio profeta, e embora todos possam rir de minhas alocuções eles ouvirão meus planos, conhecerão meus sonhos; e assim não haverá saída para mim até que minhas palavras se tornem feitos realizados.

Hoje centuplicarei meu valor.

Não cometerei o terrível crime de aspirar a pouco demais.

Executarei o trabalho que o fracasso não executará.

Sempre deixarei o meu desígnio exceder a minha compreensão.

Jamais me contentarei com o meu desempenho na feira.

Sempre elevarei meus objetivos tão logo os atinja.

Sempre me esforçarei para fazer a próxima hora melhor do que a hora presente.

Sempre anunciarei meus objetivos ao mundo.

Contudo, jamais proclamarei minhas realizações. Deixarei, ao contrário, que o mundo se aproxime de mim com louvores e que eu possa ter a sabedoria de recebê-los com humildade.

Hoje centuplicarei meu valor.

Um grão de trigo quando centuplicado produzirá centenas de talos. Centuplique-os dez vezes e eles alimentarão todas as cidades da Terra. Não sou eu mais do que um grão de trigo?

Hoje centuplicarei meu valor.

E, feito isso, repetirei a façanha e repetirei de novo e haverá espanto e estupefação diante de minha grandeza, assim que as palavras destes pergaminhos se cumprirem em mim.

# Capítulo

# *Dezesseis*

## *O Pergaminho Número IX*

Meus sonhos são insignificantes, meus planos são poeira, meus objetivos são impossíveis.

Todos nada valem, a não ser seguidos por ação.

Agirei agora.

Jamais existiu mapa, por mais cuidadosamente executado em detalhe e escala, que elevasse seu possuidor um só centímetro do chão. Jamais houve uma lei, conquanto honesta, que impedisse um crime. Jamais houve um pergaminho, mesmo como este que agora tenho nas mãos, que ganhasse um tostão sequer ou produzisse uma única palavra de aclamação. Somente a ação transforma o mapa, o papel, este pergaminho, meus sonhos, meus planos, meus objetivos em força viva. A ação é o alimento e a bebida que nutrirá o meu êxito.

Agirei agora.

Minha procrastinação, que me atrasa, nasceu do medo, e agora reconheço este segredo tirado das profundezas de todos os corações corajosos. Agora sei que para vencer o medo devo sempre agir sem hesitação e as hesitações do meu coração desaparecerão. Agora sei que a ação reduz o leão do terror à formiga da equanimidade.

Agirei agora.

De hoje em diante, relembrarei a lição do vaga-lume que acende sua luz apenas quando voa, apenas quando está em ação. Tornar-me-ei um vaga-lume e, mesmo durante o dia, meu fulgor será visto, apesar do sol. Que os outros sejam como borboletas que alisam suas asas, mas dependem da caridade de uma flor para viver. Serei como o vaga-lume e minha luz iluminará o mundo.

Agirei agora.

Não evitarei as tarefas de hoje e não as deixarei para amanhã, pois sei que o amanhã jamais chega. Deixe-me agir agora, mesmo que minhas ações possam não trazer felicidade ou êxito, pois é melhor agir e fracassar do que não agir e atrapalhar-me. A felicidade, em verdade, pode não ser o fruto colhido pela minha ação, mas sem ação todo fruto morrerá na vinha.

Agirei agora.

Agirei agora. Agirei agora. Agirei agora. De hoje em diante, repetirei estas palavras sempre e sempre, cada hora, cada dia, até que elas se tornem um hábito como minha respiração e as ações que se seguirem tornem-se tão instintivas como o piscar de meus olhos. Com estas palavras posso condicionar minha mente a executar tudo que seja necessário ao meu êxito. Com estas palavras posso condicioná-la a enfrentar todos os desafios que o fracasso evita.

Agirei agora.

Repetirei estas palavras sempre e sempre.

Ao acordar, eu as pronunciarei e pularei da cama, enquanto o fracasso dorme uma hora mais.

Agirei agora.

Ao entrar na feira, eu as repetirei e imediatamente confrontarei a primeira possibilidade, enquanto o fracasso pondera, ainda, uma possibilidade de malogro.

Agirei agora.

Ao defrontar uma porta fechada, eu as pronunciarei e baterei enquanto o fracasso espera lá fora com medo e agitação.

Ao me defrontar com a tentação, eu as pronunciarei e agirei imediatamente para afastar-me da maldade.

Agirei agora.

Ao ser tentado a desistir e recomeçar amanhã, eu as pronunciarei e, imediatamente, agirei para consumar outra venda.

Agirei agora.

Apenas a ação determina meu valor na feira e, para multiplicar meu valor, multiplicarei minhas ações. Andarei por onde o fracasso teme andar. Trabalharei enquanto o fracasso procura descanso. Conversarei enquanto o fracasso permanece calado. Visitarei dez que podem comprar minhas mercadorias, enquanto o fracasso faz grandiosos planos para visitar um. Direi que está tudo consumado antes que o fracasso diga que é tarde demais.

Agirei agora.

Pois o agora é tudo que tenho. O amanhã é o dia reservado para o trabalho do preguiçoso. Eu não sou preguiçoso. O amanhã é o dia em que o mau se torna bom. Eu não sou mau. O amanhã é o dia em que o fraco se torna forte. Eu não sou fraco. O amanhã é o dia em que o fracasso terá êxito. Eu não sou um fracasso.

Agirei agora.

Quando o leão está faminto, ele come. Quando a águia tem sede, ela bebe. Se não agem, ambos correrão perigo.

Sinto fome de êxito. Sinto sede de felicidade e paz de espírito. Agirei para não correr perigo numa vida de fracasso, de miséria e de noites indormidas.

Eu ordenarei e obedecerei às minhas próprias ordens.

Agirei agora.

O êxito não esperará. Se eu retardo, ele se compromete com outro e eu o perco para sempre.

Esta é a hora. Este é o lugar. Eu sou o homem.

Eu agirei agora.

# Capítulo

# Dezessete

## O Pergaminho Número X

Quem tem a fé tão pequena que, em momento de grande desastre ou agitação, não haja clamado a seu Deus? Quem já não gritou quando confrontado com o perigo, a morte, ou o mistério além de sua compreensão ou experiência normal? De onde vem esse profundo instinto que escapa da boca de todas as criaturas vivas em momentos de perigo?

Mova rápido sua mão ante os olhos de alguém e ele irá piscar. Dê uma pancadinha logo abaixo do joelho e sua perna irá pular. Confronte alguém com um negro horror na face e ele dirá, "Meu Deus", levado pelo mesmo impulso.

Não necessito permear minha vida de religião a fim de reconhecer este grande e maior mistério da natureza. Todas as criaturas que andam sobre a terra, inclusive o homem, possuem o instinto de gritar por socorro. Por que possuímos esse instinto, esse dom?

Não são nossos gritos uma forma de súplica? Não é compreensível, num mundo governado pelas leis da natureza, que uma mente grandiosa, à parte de dar ao cordeiro, à mula, ao pássaro, ao homem, o instinto de gritar por socorro, tenha também permitido que o grito fosse ouvido por algum poder superior capaz de ouvir e atender ao grito de socorro? De hoje em diante eu suplicarei, mas meus gritos por socorro serão apenas pedidos de orientação.

Jamais suplicarei pelas coisas materiais do mundo. Não peço ao criado que me traga comida. Não determino ao hospedeiro que me dê um quarto. Jamais buscarei dádivas de ouro, amor, saúde, vitórias mesquinhas, fama, êxito ou felicidade. Suplicarei apenas por orientação para que eu venha a saber a maneira de adquirir estas coisas e serei sempre atendido em minha súplica.

A orientação que busco pode chegar como pode não chegar, mas não são ambas uma resposta? Se uma criança busca pão com seu pai e não encontra, não deu o pai uma resposta?

Suplicarei por orientação e suplicarei como um vendedor, desta maneira:

*Ó criador de todas as coisas, ajudai-me. Pois hoje saio pelo mundo nu e só, e sem vossa mão para orientar desviar-me-ei do caminho que conduz ao êxito e à felicidade.*

*Não peço ouro ou roupa ou mesmo oportunidades segundo minha capacidade, mas orientação para que possa adquirir capacidade segundo minhas oportunidades.*

*Ao leão e à águia ensinastes a caçar e a prosperar com os dentes e as garras. Ensinai-me a caçar com palavras e a prosperar com amor para que eu possa ser um leão entre os homens e uma águia na feira.*

*Ajudai-me a permanecer humilde nos obstáculos e fracassos; mas não oculteis dos meus olhos o prêmio que virá com a vitória.*

*Conferi-me tarefas para as quais outros fracassaram; mas orientai-me na colheita das sementes do êxito nos fracassos dos outros. Confrontai-me com temores que temperarão o meu espírito; mas dotai-me de coragem para rir de meus receios.*

*Reservai-me dias suficientes para alcançar meus objetivos; mas ajudai-me a viver este dia como se fosse o meu último dia.*

*Orientai-me em minhas palavras para que elas frutifiquem; mas acautelai-me a língua, para que a ninguém difame.*

*Disciplinai-me no hábito de tentar sempre e sempre; mas mostrai-me a maneira de utilizar-me da lei das médias. Favorecei-me com a prontidão em reconhecer as oportunidades; mas dotai-me com a paciência que concentrará minha força.*

*Banhai-me em bons hábitos para que os maus hábitos se afoguem; mas concedei-me a compaixão pela fraqueza dos outros. Fazei-me sofrer para saber que todas as coisas passarão; mas ajudai-me a contar minhas bênçãos de hoje.*

*Sujeitai-me ao ódio, para que ele não seja um estranho; mas enchei minha taça de amor para transformar estranhos em amigos.*

*Mas que todas estas coisas aconteçam apenas segundo vossa vontade. Sou uma uva pequena e solitária compondo a vinha, mas me fizestes diferente de todas as outras. Em verdade, deve haver um lugar especial para mim. Orientai-me. Ajudai-me. Mostrai-me o caminho.*

*Deixai-me tornar em tudo aquilo que planejastes para mim quando minha semente foi plantada e escolhida por vós para brotar no vinhedo do mundo.*

*Ajudai este humilde vendedor. Orientai-me, Meu Senhor.*

*Capítulo*

# *Dezoito*

E assim sucedeu que Hafid esperou em seu solitário palácio por aquele que iria receber os pergaminhos. O ancião, tendo apenas o guarda-livros de confiança por companhia, contemplava as estações irem e virem, e com a chegada das enfermidades da velhice ficava, apenas, calmamente sentado no jardim coberto.

Ele esperou.

Ele esperou quase três anos após a distribuição de suas riquezas mundanas e da dispersão do seu império comercial.

E então, do deserto do Levante, surgiu a figura delgada e coxeante de um estranho que chegou a Damasco e seguiu direto pelas ruas até parar ante o palácio de Hafid. Erasmo, comumente um modelo de cortesia e sobriedade, permaneceu resoluto à porta, assim que o estranho repetiu seu pedido:

— Eu desejava falar com vosso amo.

A aparência do estranho não era de inspirar confiança. Rotas e emendadas com corda estavam suas sandálias, feridas e arranhadas as pernas escuras, chagas em muitos lugares, e do corpo pendia uma frouxa e esfarrapada tanga de camelão. O cabelo estava desalinhado e longo, e os olhos vermelhos de sol pareciam arder.

Erasmo segurou levemente a tranca da porta:

— O que procura com meu senhor?

O estranho deixou o saco cair dos ombros e apertou as mãos em súplica a Erasmo.

— Por favor, gentil senhor, concedei-me uma audiência com o vosso amo. Não busco prejudicá-lo, nem esmolas. Deixai-o ouvir minhas palavras e prometo partir imediatamente se eu o ofender.

Ainda inseguro, Erasmo abriu lentamente a porta e fez sinal que entrasse. Então, virou-se e, sem olhar para trás, encaminhou-se para o jardim com o visitante a acompanhá-lo, coxeando.

No jardim, Hafid cochilava, e Erasmo hesitou ante seu amo. Ele tossiu e Hafid moveu-se. Tossiu de novo e o ancião abriu os olhos.

— Perdoe-me incomodá-lo meu amo, mas há uma visita.

Despertando, Hafid sentou-se e fitou o estranho que se curvou e falou.

— Sois aquele que é chamado o maior vendedor do mundo?

Hafid franziu a testa e assentiu.

— Assim fui chamado em anos que agora já passaram. Minha cabeça não mais ostenta essa coroa. O que desejais de mim?

O pequeno visitante permaneceu embaraçado ante Hafid e passou a mão pelo peito encardido. Piscou os olhos e replicou:

— Sou chamado Saulo e voltei agora de Jerusalém para Tarso, minha terra natal. Suplico-vos, todavia, não deixeis que minha aparência vos confunda. Não sou um bandido do deserto nem um mendigo das ruas. Sou cidadão de Tarso e também de Roma. Os fariseus da tribo judia de Benjamim são o meu povo e embora eu seja fabricante de tendas, por profissão, estudei com o grande Gamaliel. Alguns me chamam de Paulo.

Ele se inclinava para o lado, ao falar, e Hafid, não de todo desperto até esse momento, acenou com gesto de desculpas, para que ele se sentasse.

Paulo assentiu, mas permaneceu de pé.

— Eu vim a vós em busca da orientação e ajuda que apenas vós podeis dar-me. Permitis, senhor, contar-vos minha história?

Erasmo, em pé atrás do estranho, balançou a cabeça violentamente, mas Hafid fingiu não notar. Ainda sonolento, examinou o intruso com cuidado e, então, assentiu:

— Estou velho demais para levantar os olhos. Sente-se aos meus pés e eu o ouvirei.

Paulo pôs o saco de lado e ajoelhou-se próximo ao ancião, que esperava em silêncio.

— Há quatro anos, porque o acumulado conhecimento de meus excessivos anos de estudo cegara meu coração para a verdade, fui testemunha pública do apedrejamento, em Jerusalém, de um santo homem, chamado Estêvão. Ele fora condendo à morte pelo sinédrio, por blasfêmia contra o nosso Deus.

Hafid o interrompeu, com embaraço na voz:

— Eu não entendo minha ligação com essa atividade.

Paulo ergueu a mão, como para acalmar o ancião:

— Explicarei rapidamente. Ele era seguidor de um homem chamado Jesus, que, menos de um ano antes do apedrejamento de Estêvão, fora crucificado pelos romanos, por sedição contra o Estado. A culpa de Estêvão residia na insistência de que Jesus era o Messias, cuja chegada fora prevista pelos profetas judeus, e que o Templo conspirara com Roma para matar esse filho de Deus. Tal censura às autoridades só poderia ser punida com a morte e, como vos disse, eu participei.

"Ademais, pelo meu fanatismo e zelo juvenil, o sumo sacerdote do Templo confiou-me a missao de viajar para Damasco à procura de todo seguidor de Jesus e, encorajando-o, trazê-lo acorrentado a Jerusalém para punição. Isso foi, como disse, há quatro anos.

Erasmo olhou para Hafid espantado, pois havia no rosto do anciao um olhar jamais visto pelo leal guarda-livros em muitos anos. Apenas o jorro da fonte se ouvia no jardim, quando Paulo prosseguiu.

— Então, ao aproximar-me de Damasco com morte no coração, surgiu no céu um súbito facho de luz. Recordo-me que não me assustei, mas caí ao chão e, embora não pudesse ver, ouvi uma voz em meu ouvido dizer: "Saulo, Saulo, por que me persegues?" Eu perguntei: "Quem és tu?" E a voz respondeu: "Eu sou Jesus, a quem persegues, mas levanta-te e entra na cidade, e serás avisado do que fazer."

"Ergui-me e fui levado pelas mãos de meus companheiros a Damasco e lá não fui capaz de comer ou beber por três dias, enquanto permaneci na casa de um seguidor do crucificado. Fui, então, visitado por outro seguidor, chamado Ananias, que disse ter sido visitado numa visão e avisado para vir a mim. Ele passou a mão em meus olhos e pude ver de novo. Foi-me, então, possível comer e beber e recuperar as forças.

Hafid curvou-se para a frente e inquiriu:

— O que ocorreu depois?

— Fui levado à sinagoga e minha presença como perseguidor dos seguidores de Jesus amedrontou-lhes os corações, mas fiz uma pregação, e minhas palavras os confundiram, pois falei que aquele que fora crucificado era realmente o filho de Deus.

"E todos que me ouviram suspeitaram de um truque de minha parte para enganá-los, pois não causara eu matança em Jerusalém? Não pude convencê-los da minha mudança de coração e muitos tramaram a minha morte; então, fugi e retornei a Jerusalém.

"Em Jerusalém, os acontecimentos de Damasco repetiram-se. Nenhum dos seguidores de Jesus se aproximou de mim, conquanto soubessem de minha pregação em Damasco. Não obstante, continuei a pregar em nome de Jesus, mas inutilmente. Em todo lugar que falava despertava o ódio daqueles que ouviam, até que um dia fui ao Templo e, no pátio, enquanto assistia à venda de pombos e cordeiros para o sacrifício, a voz veio-me novamente.

— Então, o que disse? — perguntou Erasmo, sem poder

se conter. Hafid sorriu para seu velho amigo e fez sinal para Paulo continuar.

— A voz disse: "Tiveste a Palavra por quase quatro anos, mas pouco mostraste a luz. Até a palavra de Deus tem de ser vendida às pessoas, ou não a ouvirão. Não falei eu em parábolas, para que todos entendessem? Pegarás poucas moscas com vinagre. Retorna a Damasco e procura aquele que é aclamado como o maior vendedor do mundo. Se deves espalhar minha palavra pelo mundo, deixa que ele te mostre a maneira de o fazer."

Hafid relanceou os olhos rapidamente em Erasmo e o velho guarda-livros sentiu a impronunciada pergunta. Era este, então, aquele por quem ele tanto esperava? O grande vendedor curvou-se para a frente e colocou a mão no ombro de Paulo.

— Falai-me sobre esse Jesus.

A voz bem viva, com nova força e volume, Paulo falou de Jesus e de sua vida. Enquanto os dois ouviam, falou da longa espera judia por um Messias que viria e os uniria num novo e independente reino de felicidade e paz. Falou de João, o Batista, e da chegada, no palco da história, de alguém chamado Jesus, dos milagres realizados por esse homem, dos seus sermões às multidões, da revivificação do morto, do tratamento dado aos vendilhões; falou ainda da crucificação, do sepultamento e da ressurreição. Finalmente, como para dar maior impacto a seu relato, Paulo enfiou a mão no saco que estava ao lado e dali retirou uma vestimenta vermelha, que colocou no colo de Hafid.

— Senhor, aí tendes todos os bens mundanos deixados por esse Jesus. Tudo que possuía ele distribuiu com o mundo, incluindo a vida. E, ao pé da cruz, soldados romanos disputaram nos dados esta túnica. Vim a possuí-la por meio de muito esforço e procura, quando estive por último em Jerusalém.

A face empalidecida de Hafid e suas mãos tremeram ao abrir a túnica manchada de sangue. Alarmado com a aparência de seu amo, Erasmo aproximou-se do ancião. Hafid continuou a abrir a vestimenta até encontrar a pequena estrela bordada no tecido... a marca de Tola, cujo símbolo compunha as roupas vendidas por Pathros. Próximo à estrela, um círculo bordado dentro de um quadrado... a marca de Pathros.

Sob os olhares de Paulo e Erasmo, o ancião ergueu a túnica e roçou-a gentilmente contra a face. Hafid balançou a cabeça. Impossível! Milhares de outras túnicas foram fabricadas por Tola e vendidas por Pathros nos anos de sua grande carreira de negócios.

Ainda apertando contra si a túnica e falando num murmúrio rouco, Hafid perguntou:

— Dizei-me o que se sabe do nascimento desse Jesus.

Paulo respondeu.

— Ele deixou nosso mundo com pouco. Entrara nele com menos ainda. Nasceu numa gruta em Belém, ao tempo do recenseamento feito por Tibério.

O sorriso de Hafid parecia quase infantil aos dois homens e eles olhavam perplexos, pois lágrimas também rolavam de sua face enrugada. Ele enxugou-as com a mão e perguntou:

— E não foi a mais brilhante estrela que o homem já viu, a que brilhou sobre o berço daquela criança?

Paulo abriu a boca, mas não pôde falar, nem era

necessário. Hafid abriu os braços, chamou Paulo a si e, então, as lágrimas de ambos se confundiram.

Finalmente, o ancião ergueu-se e acenou para Erasmo:

— Meu leal amigo, vá à torre e traga o baú. Encontramos, afinal, o nosso vendedor.

Impresso no Brasil pelo
Sistema Cameron da Divisão Gráfica da
DISTRIBUIDORA RECORD DE SERVIÇOS DE IMPRENSA S.A.
Rua Argentina, 171 – Rio de Janeiro, RJ – 20921-380 – Tel.: (21)2585-2000